Michael Reeve-Fowkes

The Yachtsman's Tidal Atlas

CHANNEL PORTS and APPROACHES

for the areas
The Solent and approaches
Portland Bill
Alderney and Cherbourg
Poole
Russel Channels
St. Helier approaches
St. Malo approaches
Ile de Brehat
Le Havre
The Scilly Isles
Ile d'Ouessant and Chenal du Four

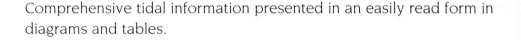

Comprehensive tidal information presented in an easily read form in diagrams and tables.

Tidal information for other areas will be found in the following Yachtsman's Tidal Atlases:

Central Channel and The Solent

Southern North Sea and Eastern Channel

Western Channel

A more detailed explanation of tidal cause and effect and the theory and practice of navigating in tidal waters can be found in:

The Yachtsman's Manual of Tides.

Barnacle Marine Limited

Published by
Barnacle Marine Ltd.
Blomfield Place, 25 St. Botolph's Street,
Colchester,
Essex, CO2 7EA.

First Published 1986
New Edition 1991
ISBN 0 948788 40 2
Typeset by Typestylers Limited, Ipswich, Suffolk.
Printed by The Lavenham Press Limited, Sudbury, Suffolk.

The information which appears in this atlas has been derived from a number of different sources. In addition the author has used his knowledge and experience to interpolate and make assumptions where the sources were incomplete. Neither the author nor the publishers can accept any responsibility for any errors or inaccuracies which may be present.

Introduction

The **Yachtsman's Tidal Atlases** were developed by Michael Reeve-Fowkes as a comprehensive aid to accurate navigation and were first published as part of **The Yachtsman's Manual of Tides** in 1983. In compiling these atlases the author studied data from a number of different sources including tide tables, stream atlases, pilots and charts published by the Hydrographer of the Navy, the Service Hydrographique et Oceanographique de la Marine and the Chef de Hydrographie, and gratefully acknowledged the great benefit he gained from these publications. Additional information was obtained from club rule books, cruising handbooks, magazine articles and from the experience of the author and many of his friends.

Whilst assessing the information thus obtained, the author found it in some cases to be conflicting and often incomplete. He therefore found it necessary when this occurred, to make assumptions based on his best judgement in the belief that such assumptions, made at desk and drawing board, were likely to be better than those which might have to be made at sea, perhaps under difficult conditions.

The Yachtsman must be aware when using these tidal atlases that tidal predictions, however carefully they have been produced, can only be approximate and may be adversely affected by prevailing conditions such as wind direction and strength or storm surges and when navigating in upper estuaries, heavy rainfall. The Yachtsman, therefore, must always use these atlases with caution and make allowance for the inherently approximate nature of tidal predictions.

A more detailed explanation of the cause and effect of tides and the theory and practice of navigating in tidal waters can be found in the author's "The Yachtsman's Manual of Tides" published by Barnacle Marine Ltd.

TIME

The Atlas is based upon the time of HW at Cherbourg. The predicted height of the tide at Cherbourg is used to indicate the magnitude of each tidal oscillation: Cherbourg has been selected as the reference port for this atlas because it has a suitable tidal range and it is a place that is relatively free from the fluctuations in mean sea level that can be prevalent at Dover and other ports.

Cherbourg tide tables are supplied free with each atlas and can also be found in all the Almanacs.

Most tide tables for Cherbourg will show the HW times in "Time Zone −0100" which is one hour ahead of UT (GMT). British Summer Time is also one hour ahead of UT so when cruising home waters in the summer time, the actual time read from the tide tables will be the same as the actual clock time. Outside the dates of BST, Time Zone −0100 times will have to have one hour subtracted to equal UT (GMT).

If your Cherbourg tide tables are in UT (GMT) simply add one hour during BST to obtain clock time. Watch out if using local Cherbourg tide tables which list HW in local clock time: French Summer Time is one hour ahead of British Summer Time (and two hours ahead of UT). French Summer Time also operates between different dates to British.

UT	= Universal Time i.e. GMT
Zone −0100	= UT + one hour
British Summer Time	= UT + one hour
French Summer Time	= Zone −0100 + one hour (i.e. UT + two hours)

Take care to establish at the outset the correct time of Cherbourg HW in relation to the time on the ship's clocks and watches.

Instructions for use

BEFORE SAILING

1. Establish the time printed in your Cherbourg tide tables in relation to your ship's actual clock time (see previous page).

2. From the Cherbourg tide table extract the time of HW for the passage required (Diagram A). Select which section of this atlas you require and enter this time in pencil in the box provided on the page for HW Cherbourg (Diagram B).

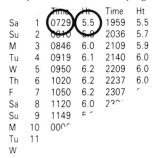

		Time	Ht	Time	Ht
Sa	1	0729	5.5	1959	5.5
Su	2	0810	5.8	2036	5.7
M	3	0846	6.0	2109	5.9
Tu	4	0919	6.1	2140	6.0
W	5	0950	6.2	2209	6.0
Th	6	1020	6.2	2237	6.0
F	7	1050	6.2	2307	
Sa	8	1120	6.0	23	
Su	9	1149	5		
M	10	000			
Tu	11				
W					

DIAGRAM A:
Time and height for Saturday 1st used here.

HW Cherbourg **HW**

Time 0729
(to be inserted)

DIAGRAM B

3. Turning backwards page by page enter the appropriate times in the boxes for the pages of that section, from "HW −1" to "HW −6". Then enter the appropriate times in the boxes "HW +1" to "HW +6" turning forwards page by page. If the passage is expected to exceed one tidal cycle, repeat this process for the next HW as well: to avoid confusion a note of the date may be added by the pencilled time.

4. From the Cherbourg tide table, also extract the height of Cherbourg HW for the relevant time (Diagram A). Mark this height in pencil on the scale that appears at the top of every table; use a vertical arrow or other similar mark. Mark each table in the same way (Diagram C). It is the position of this arrow that indicates the correct vertical column of figures to use when referring to the tables. If the arrow falls between two vertical columns it will be necessary to interpolate between the figures shown in each column.

5. If both sections of this atlas will be required, mark up the other section in the same way as described above.

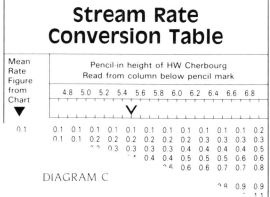

Stream Rate Conversion Table

Mean Rate Figure from Chart ▼	Pencil-in height of HW Cherbourg Read from column below pencil mark											
	4.8	5.0	5.2	5.4	5.6	5.8	6.0	6.2	6.4	6.6	6.8	
0.1	0.1	0.1	0.1	0.1	0.1	0.1	0.1	0.1	0.1	0.1	0.2	
	0.1	0.1	0.2	0.2	0.2	0.2	0.2	0.2	0.3	0.3	0.3	0.3
		0.2	0.3	0.3	0.3	0.4	0.4	0.4	0.4	0.4	0.5	
			0.4	0.4	0.5	0.5	0.5	0.6	0.6		
				0.6	0.6	0.6	0.7	0.7	0.8		
					0.8	0.9	0.9			
						1.1				

DIAGRAM C

TO FIND THE DIRECTION AND RATE OF A TIDAL STREAM

1. Turn to the page on which your pencilled time for the required area is nearest to the required time.

2. Mark your estimated position on the Tidal Streams Chartlet and find the nearest arrow to your marked position (or interpolate between two arrows) (Diagram D).

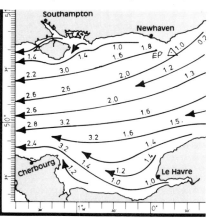

DIAGRAM D:
Direction of flow 236°T, mean rate figure 1.0.

3. Measure the direction of the arrow using a Douglas protractor or similar instrument to obtain (in True) the direction of the tidal stream.

4. Stream Rates shown on the Tidal Streams Chartlets are mean rates: to obtain the actual rate of the tidal stream note this mean rate figure shown by your chosen arrow (or interpolate as necessary).

5. In the Stream Rate Conversion Table, find this mean rate figure in the left-hand column and then read across the table to the column of figures underneath the pencilled mark on the top scale. The figure thus found gives the actual rate of tidal stream in knots. (If your pencil mark is between two vertical columns, interpolate between the figures in each column.) (Diagram E).

Stream Rate Conversion Table

Mean Rate Figure from Chart ▼	Pencil-in height of HW Cherbourg Read from column below pencil mark											
	4.8	5.0	5.2	5.4	5.6	5.8	6.0	6.2	6.4	6.6	6.8	
0.1	0.1	0.1	0.1	0.1	0.1	0.1	0.1	0.1	0.1	0.1	0.1	0.2
0.2	0.1	0.1	0.2	0.2	0.2	0.2	0.2	0.2	0.3	0.3	0.3	0.3
0.3	0.2	0.2	0.2	0.3	0.3	0.3	0.3	0.4	0.4	0.4	0.4	0.5
0.4	0.2	0.3	0.3	0.3	0.4	0.4	0.4	0.5	0.5	0.5	0.6	0.6
0.5	0.3	0.3	0.4	0.4	0.5	0.5	0.6	0.6	0.6	0.7	0.7	0.8
0.6	0.4	0.4	0.5	0.5	0.6	0.6	0.7	0.7	0.8	0.8	0.9	0.9
0.7	0.4	0.5	0.5	0.6	0.7	0.7	0.8	0.8	0.9	0.9		
0.8	0.5	0.6	0.6	0.7	0.8	0.8	0.9	0.9	1.0			
0.9	0.5	0.6	0.7	0.8	0.9	1.0						
1.0	0.6	0.7	0.8	0.9	0.9	1.0						
1.1	0.7	0.8										

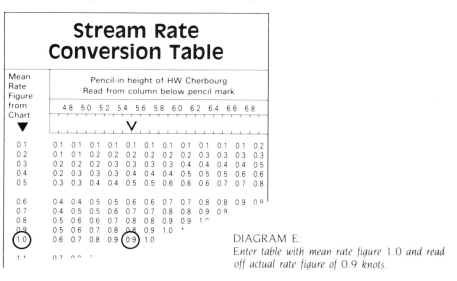

DIAGRAM E:
Enter table with mean rate figure 1.0 and read off actual rate figure of 0.9 knots.

TO FIND THE HEIGHT OF TIDE AT THE LISTED PORTS AND PLACES

1. Turn to the page on which your pencilled time is nearest to the required time.
2. From the place listed in the left-hand column of the table "Tidal Heights — Ports and Places", read across the table to the column of figures underneath your pencilled mark on the top scale. The figure thus found gives the height of tide, in metres, above Chart Datum, for the time pencilled in the box on that page (Diagram F).

OFFSHORE HEIGHTS

Tidal Gauges on the Tidal Stream Chartlets give a visual display of the approximate state of the tide at that particular place. The figure beneath the tidal gauge is the average Height of Tide at the time pencilled in the box on the page. Although only an average, this figure is sufficiently accurate to use for most coastal navigation. The vertical movement of the tide is also described briefly on each Chartlet.

TIDAL HEIGHTS — PORTS & PLACES

Pencil-in height of HW Cherbourg ▶	4.8	5.0	5.2	5.4	5.6	5.8	6.0	6.2	6.4	6.6	6.8
ENGLAND											
Kings Lynn	2.2	2.1	1.9	1.8	1.7	1.5	1.4	1.2	1.1	1.1	1.1	1.1
Blakeney Bar	3.0	2.8	2.6	2.4	2.3	2.1	1.9	1.8	1.6	1.5	1.5	1.4
Cromer	2.4	2.3	2.1	2.0	1.8	1.7	1.5	1.4	1.2	1.1	1.1	1.0
Gt. Yarmouth (Gorleston)	1.1	1.0	1.0	0.9	0.8	0.8	0.7	0.7	0.6	0.5	0.4	0.3
Lowestoft	1.1	1.0	1.0	0.9	0.9	0.8	0.8	0.7	0.7	0.7	0.6	0.5
Southwold Haven	1.0	1.0	1.0	1.0	1.0	0.9	0.9	0.9	0.9	0.8	0.8	0.7
Orford Haven appr ch	1.6	1.6	1.6	1.6	1.6	1.6	1.6	1.6	1.6	1.6	1.7	1.7
Woodbridge Haven	1.9	1.9	1.9	1.9	1.9	2.0	2.0	2.0	2.0	2.1	2.1	2.1
Felixstowe	2.0	2.0	2.0	2.0	2.0	2.0	2.0	2.0	2.0	2.1	2.2	2.2
Harwich	2.2	2.2	2.2	2.2	2.3	2.3	2.3	2.4	2.4	2.4	2.4	2.4
Walton-on-the-Naze	2.2	2.2	2.2	2.3	2.3	2.4	2.4	2.5	2.5	2.5	2.6	2.6
Brightlingsea	2.4	2.5	2.7	2.8	2.9	3.1	3.2	3.4	3.5	3.6	3.7	3.8
Bradwell	2.8	2.9	3.1	3.2	3.3	3.5	3.6	3.8	3.9	3.9		
Burnham	3.2	3.3	3.5	3.6	3.7	3.9	4.0	4.0				
Leigh, Southend	3.3	3.4	3.6	3.7	3.8	3.9	4.1					
London Bridge	4.9	5.2	5.4	5.7	6.0	6.2						
Sheerness	3.4	3.5	3.7	3.8	3.9							
Chatham	3.4	3.6	3.8	4.0								
Rochester	3.5	3.7	3.9									
Whitstable approach	3.5	3.6										
Edinburgh Channels	2.8											
Margate												
Ramsgate												

DIAGRAM F:
Enter table at place required, Cromer, and read off height 1.8m in the column underneath the pencil mark.

Section 1

PORTLAND RACE

An inshore passage between Portland Bill and the Race is possible in moderate weather, but careful timing is advised: these times are noted on the Tidal Stream Chartlet for Portland Bill.

ALDERNEY RACE

Passage through the race should if possible be avoided when wind against tide conditions prevail. On windless days passages south or southwest through the Alderney Race on the ebb stream will be comfortable. However, when heading north or northeast on the flood stream, small areas of turbulence occur as Alderney is approached and passed, coinciding with changes in the depth of water. As a yacht passes north of a line from Quenard Point to Cap de la Hague, observations by the author indicate an area of confused water which extends 6 or 7 miles northwards into the English Channel during the period −2 to +1½ hours HW Cherbourg; it is also likely that the rate of flood streams in this area exceeds predictions. These uncomfortable conditions can be avoided if a passage is planned so as to pass through the area at slack water.

THE SWINGE AND ORTAC CHANNEL

Race conditions with overfalls will prevail in these channels during both the flood and ebb and it is therefore advisable to negotiate them at slack water.

LE HAVRE

Streams in the Seine Maritime can be very much influenced by rainfall and in particular by the spate of water in the Spring which is caused by thawing snow in the mountains. The effect is to delay the flood stream and to reduce the effective speed of a vessel proceeding upstream, although it is usually possible even under these circumstances for a yacht to reach Rouen on a single tide.

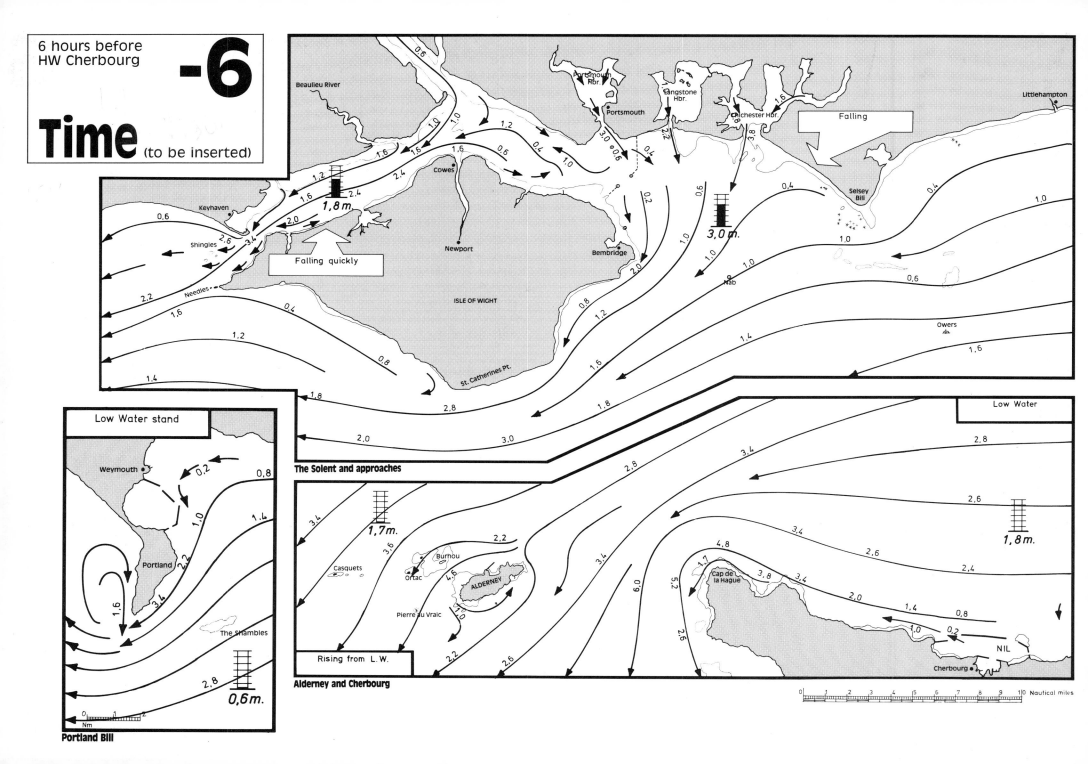

6 hours before HW Cherbourg **-6**

Time (to be inserted)

Beaulieu River

Portsmouth Hbr.

Portsmouth

Langstone Hbr.

Chichester Hbr.

Littlehampton

Falling

0.6

1.0

1.0

1.2

0.4

1.0

3.0 ⊙0.6

0.4

2.2

3.8

3.5

1.6

Selsey Bill

0.4

0.4

1.6

1.6

1.6

Cowes

0.6

0.4

0.6

1.0

1.2

2.4

1.2

1,8 m.

2.0

0.2

3,0 m.

1.0

Keyhaven

0.6

1.6

2.0

Newport

0.6

1.0

1.0

Shingles

2.6

3.4

Falling quickly

Bembridge

2.0

Nab

1.0

1.0

1.0

0.6

2.2

Needles

ISLE OF WIGHT

0.8

1.2

1.0

1.6

0.6

1.6

0.4

1.6

1.2

0.8

1.6

1.4

0.8

St. Catherines Pt.

1.8

Owers

1.4

1.6

1.4

1.8

2.8

1.8

Low Water

The Solent and approaches

2.0

3.0

2.8

2.8

3.4

2.8

2.6

Low Water stand

Weymouth

0.2

0.8

1.0

1.4

2

2

1.6

3.4

Portland

3.4

The Shambles

2.8

0,6 m.

0   1   2
Nm

Portland Bill

3.4

3.6

1,7 m.

Casquets

Ortac

Burhou

1.6

2.2

4.6

ALDERNEY

1.0

Pierre au Vraic

Rising from L.W.

2.2

2.6

Alderney and Cherbourg

3.4

6.0

3.4

5.2

2.6

1.7

Cap de la Hague

3.8

4,8

3.4

2.0

2.6

1.4

0.8

1.0

0.2

NIL

Cherbourg

1,8 m.

0 1 2 3 4 5 6 7 8 9 10 Nautical miles

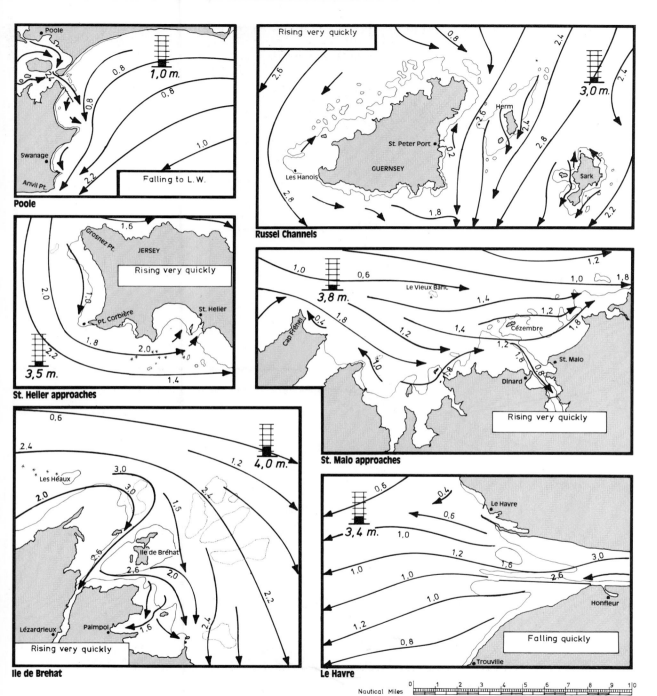

Poole

Russel Channels

St. Helier approaches

St. Malo approaches

Ile de Brehat

Le Havre

Nautical Miles 0 1 2 3 4 5 6 7 8 9 10

-6

Stream Rate Conversion Table

Mean Rate Figure from Chart ▼	Pencil-in height of HW Cherbourg — Read from column below pencil mark										
	4.8	5.0	5.2	5.4	5.6	5.8	6.0	6.2	6.4	6.6	6.8
0.2	0.1	0.1	0.1	0.1	0.2	0.2	0.2	0.2	0.3	0.3	0.3
0.4	0.2	0.2	0.2	0.3	0.3	0.4	0.4	0.5	0.5	0.6	0.6
0.6	0.2	0.3	0.4	0.4	0.5	0.6	0.7	0.7	0.8	0.9	0.9
0.8	0.4	0.4	0.5	0.6	0.7	0.8	0.9	1.0	1.1	1.1	1.2
1.0	0.4	0.5	0.6	0.7	0.9	1.0	1.1	1.2	1.3	1.4	1.5
1.2	0.5	0.6	0.7	0.9	1.0	1.2	1.3	1.4	1.6	1.7	1.9
1.4	0.6	0.7	0.9	1.0	1.2	1.4	1.5	1.7	1.8	2.0	2.2
1.6	0.6	0.8	1.0	1.2	1.4	1.6	1.7	1.9	2.1	2.3	2.5
1.8	0.7	0.9	1.1	1.3	1.5	1.7	2.0	2.2	2.4	2.6	2.8
2.0	0.8	1.0	1.2	1.5	1.7	1.9	2.2	2.4	2.6	2.9	3.1
2.2	0.9	1.1	1.4	1.6	1.9	2.1	2.3	2.6	2.9	3.2	3.4
2.4	0.9	1.2	1.5	1.8	2.1	2.3	2.6	2.9	3.2	3.4	3.7
2.6	1.0	1.3	1.6	1.9	2.2	2.5	2.8	3.1	3.4	3.7	4.0
2.8	1.1	1.4	1.7	2.1	2.4	2.7	3.0	3.4	3.7	4.0	4.3
3.0	1.2	1.5	1.9	2.2	2.6	2.9	3.2	3.6	4.0	4.3	4.6
3.2	1.3	1.6	2.0	2.4	2.7	3.1	3.4	3.8	4.2	4.6	4.9
3.4	1.3	1.7	2.1	2.5	2.9	3.3	3.7	4.1	4.5	4.9	5.3
3.6	1.4	1.8	2.2	2.7	3.1	3.5	3.9	4.3	4.7	5.2	5.6
3.8	1.5	1.9	2.4	2.8	3.3	3.7	4.1	4.6	5.0	5.4	5.9
4.0	1.6	2.0	2.5	3.0	3.4	3.9	4.3	4.8	5.3	5.7	6.2
4.2	1.7	2.1	2.6	3.1	3.6	4.1	4.6	5.0	5.5	6.0	6.5
4.4	1.7	2.2	2.7	3.3	3.8	4.3	4.8	5.3	5.8	6.3	6.8
4.6	1.8	2.3	2.9	3.4	3.9	4.5	5.0	5.5	6.1	6.6	7.1
4.8	1.9	2.4	3.0	3.6	4.1	4.7	5.2	5.8	6.3	6.9	7.4
5.0	2.0	2.5	3.1	3.7	4.3	4.9	5.4	6.0	6.6	7.2	7.7
5.2	2.0	2.6	3.2	3.8	4.4	5.0	5.6	6.2	6.8	7.4	8.0
5.4	2.1	2.8	3.4	4.0	4.6	5.2	5.7	6.5	7.1	7.7	8.4
5.6	2.2	2.9	3.5	4.1	4.8	5.4	6.1	6.7	7.4	8.0	8.7
5.8	2.3	3.0	3.6	4.3	5.0	5.6	6.3	7.0	7.6	8.3	9.0
6.0	2.4	3.1	3.7	4.4	5.1	5.8	6.5	7.2	7.9	8.6	9.3

TIDAL HEIGHTS — PORTS & PLACES

Pencil-in height of HW Cherbourg ▶	4.8	5.0	5.2	5.4	5.6	5.8	6.0	6.2	6.4	6.6	6.8
Lymington (& Yarmouth approx)	1.9	1.9	1.9	1.9	1.9	1.9	1.9	1.9	1.9	1.9	1.9
Portsmouth (Chichester entrance & Cowes approx)	2.7	2.8	3.0	3.1	3.2	3.3	3.4	3.5	3.6	3.6	3.7
Cherbourg (& Omonville approx)	2.8	2.6	2.4	2.2	2.0	1.8	1.6	1.4	1.2	0.9	0.7
Braye, Alderney	2.7	2.5	2.3	2.1	1.8	1.6	1.4	1.1	0.9	0.7	0.6
Weymouth	0.9	0.8	0.8	0.7	0.6	0.5	0.5	0.4	0.3	0.3	0.2
Poole entrance	1.3	1.2	1.2	1.1	1.1	1.0	0.9	0.9	0.8	0.7	0.6
Poole Town Quay	1.6	1.5	1.5	1.4	1.4	1.4	1.3	1.3	1.2	1.2	1.1
St Peter Port & Sark	4.6	4.3	3.9	3.6	3.3	3.0	2.6	2.3	2.0	1.7	1.5
St Helier	5.5	5.1	4.7	4.3	3.9	3.4	3.0	2.6	2.2	1.9	1.6
St Malo	6.2	5.7	5.3	4.8	4.3	3.8	3.3	2.8	2.3	2.0	1.7
Lezardrieux	5.1	4.9	4.7	4.5	4.2	4.0	3.8	3.5	3.3	3.2	3.0
Paimpol	5.2	4.9	4.5	4.2	3.9	3.5	3.2	2.8	2.5	2.2	2.1
Le Havre	3.7	3.6	3.6	3.5	3.4	3.4	3.3	3.3	3.2	3.1	3.0

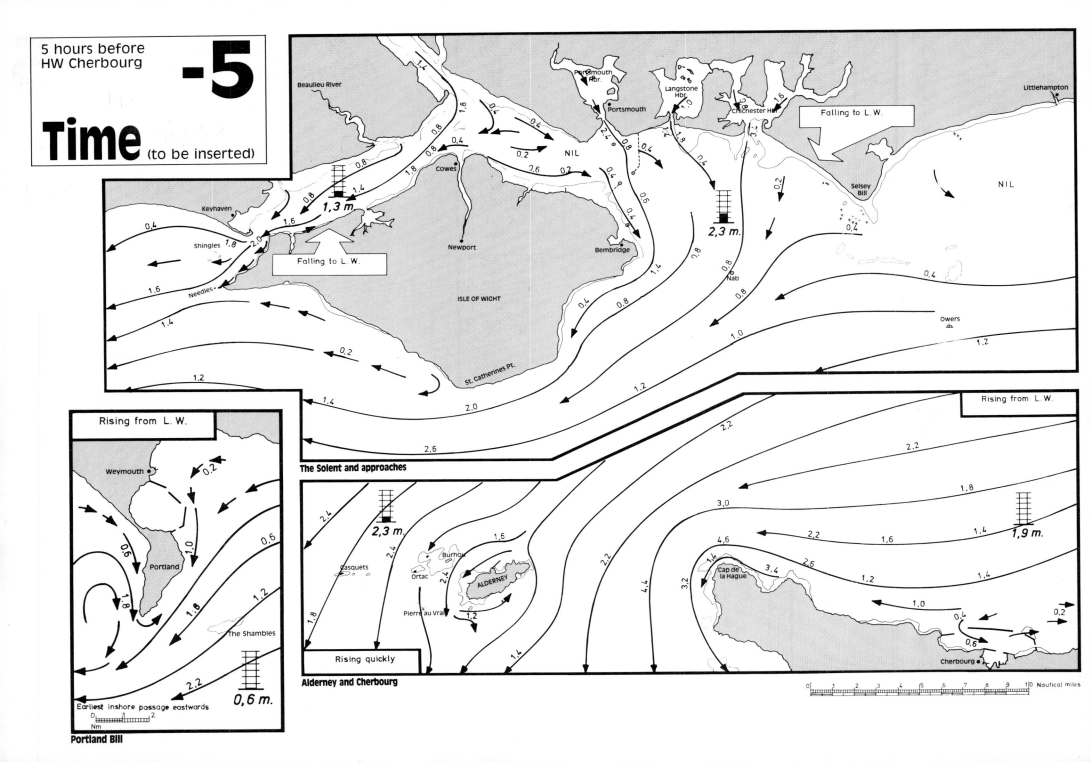

5 hours before HW Cherbourg **-5**

Time (to be inserted)

Beaulieu River

Portsmouth Hbr.
Portsmouth
Langstone Hbr.
Chichester Hbr.
Littlehampton

Falling to L.W.

NIL

1,3 m.

Keyhaven
Cowes

Falling to L.W.

Shingles

Newport

Bembridge

Selsey Bill

2,3 m.

Needles

ISLE OF WIGHT

Nab

St. Catherines Pt.

Owers

The Solent and approaches

Rising from L.W.

Rising from L.W.

Weymouth

Portland

The Shambles

0,6 m.

Earliest inshore passage eastwards

Portland Bill

2,3 m.

Casquets
Burhou
Ortac
ALDERNEY
Pierre au Vrai

Rising quickly

Alderney and Cherbourg

1,9 m.

Cap de la Hague

Cherbourg

0 1 2 3 4 5 6 7 8 9 10 Nautical miles

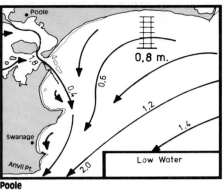

Poole

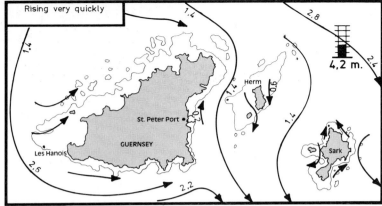

Russel Channels

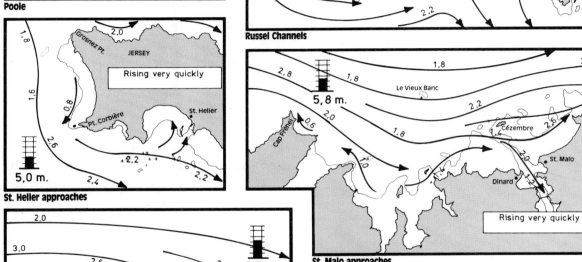

St. Malo approaches

St. Helier approaches

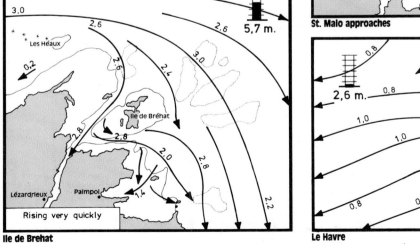

Ile de Brehat

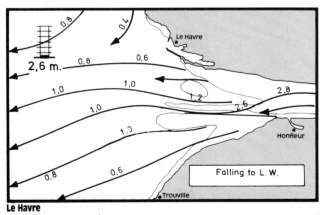

Le Havre

Nautical Miles 0 1 2 3 4 5 6 7 8 9 10

Stream Rate Conversion Table

Mean Rate Figure from Chart ▼	Pencil-in height of HW Cherbourg — Read from column below pencil mark											
	4.8	5.0	5.2	5.4	5.6	5.8	6.0	6.2	6.4	6.6	6.8	
0.2	0.1	0.1	0.1	0.1	0.2	0.2	0.2	0.2	0.3	0.3	0.3	0.3
0.4	0.2	0.2	0.2	0.3	0.3	0.4	0.4	0.5	0.5	0.6	0.6	0.7
0.6	0.2	0.3	0.4	0.4	0.5	0.6	0.7	0.7	0.8	0.9	0.9	1.0
0.8	0.4	0.4	0.5	0.6	0.7	0.8	0.9	1.0	1.1	1.1	1.2	1.3
1.0	0.4	0.5	0.6	0.7	0.9	1.0	1.1	1.2	1.3	1.4	1.5	1.7
1.2	0.5	0.6	0.7	0.9	1.0	1.2	1.3	1.4	1.6	1.7	1.9	2.0
1.4	0.6	0.7	0.9	1.0	1.2	1.4	1.5	1.7	1.8	2.0	2.2	2.3
1.6	0.6	0.8	1.0	1.2	1.4	1.6	1.7	1.9	2.1	2.3	2.5	2.7
1.8	0.7	0.9	1.1	1.3	1.5	1.7	2.0	2.2	2.4	2.6	2.8	3.0
2.0	0.8	1.0	1.2	1.5	1.7	1.9	2.2	2.4	2.6	2.9	3.1	3.3
2.2	0.9	1.1	1.4	1.6	1.9	2.1	2.3	2.6	2.9	3.2	3.4	3.7
2.4	0.9	1.2	1.5	1.8	2.1	2.3	2.6	2.9	3.2	3.4	3.7	4.0
2.6	1.0	1.3	1.6	1.9	2.2	2.5	2.8	3.1	3.4	3.7	4.0	4.3
2.8	1.1	1.4	1.7	2.1	2.4	2.7	3.0	3.4	3.7	4.0	4.3	4.7
3.0	1.2	1.5	1.9	2.2	2.6	2.9	3.2	3.6	4.0	4.3	4.6	5.0
3.2	1.3	1.6	2.0	2.4	2.7	3.1	3.4	3.8	4.2	4.6	4.9	5.3
3.4	1.3	1.7	2.1	2.5	2.9	3.3	3.7	4.1	4.5	4.9	5.3	5.7
3.6	1.4	1.8	2.2	2.7	3.1	3.5	3.9	4.3	4.7	5.2	5.6	6.0
3.8	1.5	1.9	2.4	2.8	3.3	3.7	4.1	4.6	5.0	5.4	5.9	6.3
4.0	1.6	2.0	2.5	3.0	3.4	3.9	4.3	4.8	5.3	5.7	6.2	6.7
4.2	1.7	2.1	2.6	3.1	3.6	4.1	4.6	5.0	6.0	6.5	7.0	
4.4	1.7	2.2	2.7	3.3	3.8	4.3	4.8	5.3	5.8	6.3	6.8	7.3
4.6	1.8	2.3	2.9	3.4	3.9	4.5	5.0	5.5	6.1	6.6	7.1	7.7
4.8	1.9	2.4	3.0	3.6	4.1	4.7	5.2	5.8	6.3	6.9	7.4	8.0
5.0	2.0	2.5	3.1	3.7	4.3	4.9	5.4	6.0	6.6	7.2	7.7	8.3
5.2	2.0	2.6	3.2	3.8	4.4	5.0	5.6	6.2	7.4	8.0	8.6	
5.4	2.1	2.8	3.4	4.0	4.6	5.2	5.7	6.5	7.1	7.7	8.4	9.0
5.6	2.2	2.9	3.5	4.1	4.8	5.4	6.1	6.7	7.4	8.0	8.7	9.3
5.8	2.3	3.0	3.6	4.3	5.0	5.6	6.3	7.0	7.6	8.3	9.0	9.6
6.0	2.4	3.1	3.7	4.4	5.1	5.8	6.5	7.2	7.9	8.6	9.3	9.9

TIDAL HEIGHTS — PORTS & PLACES

Pencil-in height of HW Cherbourg ▶	4.8	5.0	5.2	5.4	5.6	5.8	6.0	6.2	6.4	6.6	6.8
Lymington (& Yarmouth approx)	1.7	1.6	1.6	1.5	1.5	1.4	1.3	1.3	1.2	1.1	1.1	1.0
Portsmouth (Chichester entrance & Cowes approx)	2.2	2.2	2.2	2.2	2.2	2.2	2.2	2.2	2.2	2.2	2.1	2.1
Cherbourg (& Omonville approx)	2.9	2.7	2.5	2.3	2.1	1.9	1.7	1.5	1.3	1.0	0.8	0.5
Braye, Alderney	3.0	2.9	2.7	2.6	2.5	2.3	2.2	2.0	1.9	1.8	1.7	1.6
Weymouth	1.0	0.9	0.9	0.8	0.7	0.6	0.5	0.4	0.3	0.3	0.2	0.2
Poole entrance	1.2	1.1	1.1	1.0	1.0	0.9	0.8	0.6	0.5	0.4	0.2	0.1
Poole Town Quay	1.5	1.4	1.4	1.3	1.3	1.2	1.1	0.9	0.8	0.7	0.7	0.6
St Peter Port & Sark	5.1	4.9	4.7	4.5	4.3	4.2	4.0	3.8	3.6	3.4	3.3	3.1
St Helier	6.2	5.9	5.7	5.4	5.2	4.9	4.7	4.4	4.2	4.1	3.9	3.8
St Malo	7.1	6.8	6.6	6.3	6.0	5.7	5.4	5.1	4.8	4.6	4.5	4.3
Lezardrieux	6.0	5.9	5.9	5.8	5.8	5.7	5.7	5.6	5.6	5.6	5.6	5.6
Paimpol	6.0	5.9	5.7	5.6	5.5	5.4	5.2	5.1	5.0	5.0	4.9	4.9
Le Havre	3.3	3.2	3.0	2.9	2.7	2.6	2.4	2.3	2.1	1.9	1.8	1.6

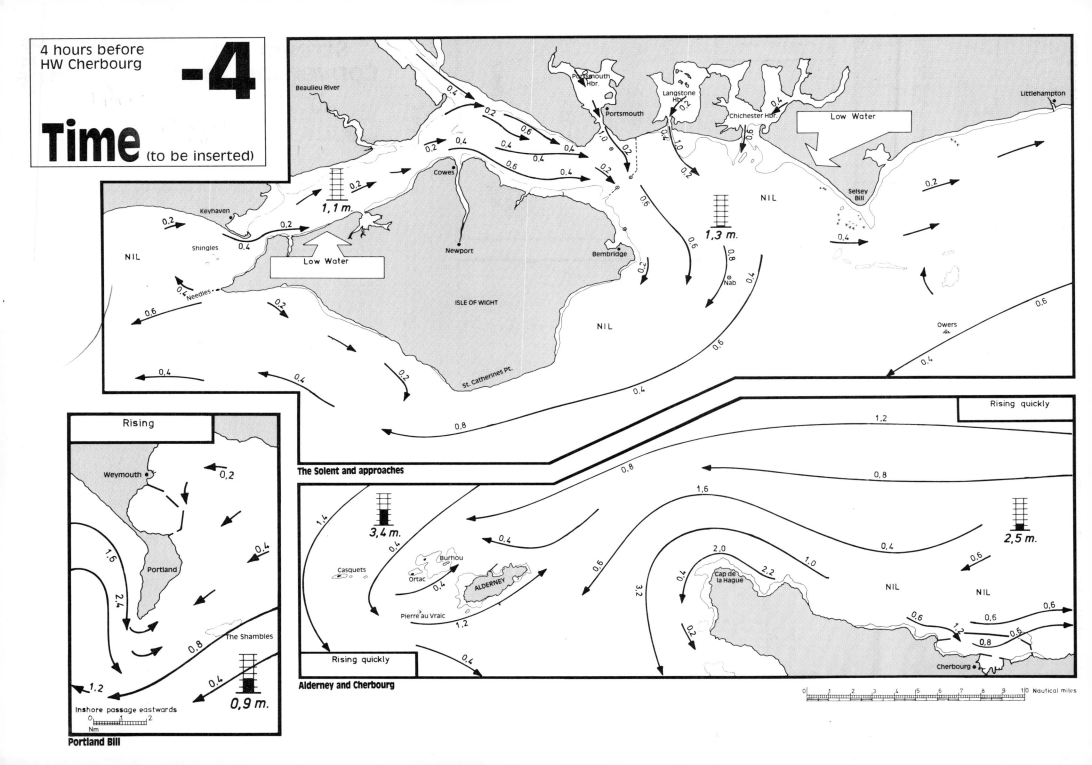

4 hours before
HW Cherbourg

-4

Time (to be inserted)

The Solent and approaches

Alderney and Cherbourg

Rising

Rising quickly

Rising quickly

Portland Bill

Inshore passage eastwards

-4

Stream Rate Conversion Table

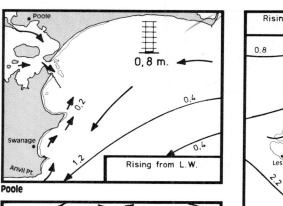

0,8 m.

Rising from L.W.

Poole

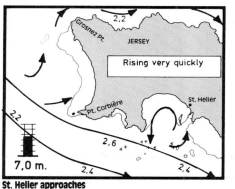

Rising very quickly

7,0 m.

St. Helier approaches

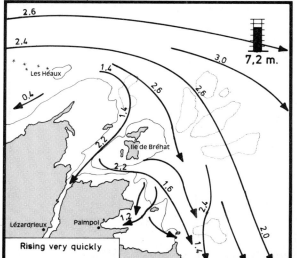

7,2 m.

Rising very quickly

Ile de Brehat

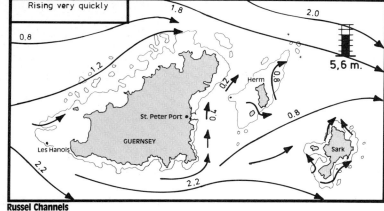

Rising very quickly

5,6 m.

Russel Channels

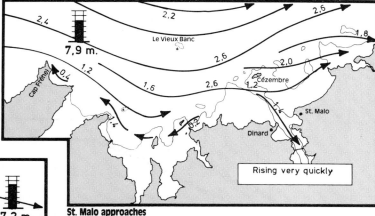

7,9 m.

Rising very quickly

St. Malo approaches

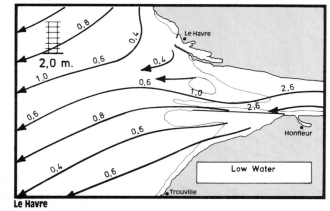

2,0 m.

Low Water

Le Havre

Nautical Miles 0 1 2 3 4 5 6 7 8 9 10

Mean Rate Figure from Chart	Pencil-in height of HW Cherbourg Read from column below pencil mark										
	4.8	5.0	5.2	5.4	5.6	5.8	6.0	6.2	6.4	6.6	6.8
0.2	0.1	0.1	0.1	0.1	0.2	0.2	0.2	0.2	0.3	0.3	0.3	0.3
0.4	0.2	0.2	0.2	0.3	0.3	0.4	0.4	0.5	0.5	0.6	0.6	0.7
0.6	0.2	0.3	0.4	0.4	0.5	0.6	0.7	0.7	0.8	0.9	0.9	1.0
0.8	0.4	0.4	0.5	0.6	0.7	0.8	0.9	1.0	1.1	1.1	1.2	1.3
1.0	0.4	0.5	0.6	0.7	0.9	1.0	1.1	1.2	1.3	1.4	1.5	1.7
1.2	0.5	0.6	0.7	0.9	1.0	1.2	1.3	1.4	1.6	1.7	1.9	2.0
1.4	0.6	0.7	0.9	1.0	1.2	1.4	1.5	1.7	1.8	2.0	2.2	2.3
1.6	0.6	0.8	1.0	1.2	1.4	1.6	1.7	1.9	2.1	2.3	2.5	2.7
1.8	0.7	0.9	1.1	1.3	1.5	1.7	2.0	2.2	2.4	2.6	2.8	3.0
2.0	0.8	1.0	1.2	1.5	1.7	1.9	2.2	2.4	2.6	2.9	3.1	3.3
2.2	0.9	1.1	1.4	1.6	1.9	2.1	2.3	2.6	2.9	3.2	3.4	3.7
2.4	0.9	1.2	1.5	1.8	2.1	2.3	2.6	2.9	3.2	3.4	3.7	4.0
2.6	1.0	1.3	1.6	1.9	2.2	2.5	2.8	3.1	3.4	3.7	4.0	4.3
2.8	1.1	1.4	1.7	2.1	2.4	2.7	3.0	3.4	3.7	4.0	4.3	4.7
3.0	1.2	1.5	1.9	2.2	2.6	2.9	3.2	3.6	4.0	4.3	4.6	5.0
3.2	1.3	1.6	2.0	2.4	2.7	3.1	3.4	3.8	4.2	4.6	4.9	5.3
3.4	1.3	1.7	2.1	2.5	2.9	3.3	3.7	4.1	4.5	4.9	5.3	5.7
3.6	1.4	1.8	2.2	2.7	3.1	3.5	3.9	4.3	4.7	5.2	5.6	6.0
3.8	1.5	1.9	2.4	2.8	3.3	3.7	4.1	4.6	5.0	5.4	5.9	6.3
4.0	1.6	2.0	2.5	3.0	3.4	3.9	4.3	4.8	5.3	5.7	6.2	6.7
4.2	1.7	2.1	2.6	3.1	3.6	4.1	4.6	5.0	5.5	6.0	6.5	7.0
4.4	1.7	2.2	2.7	3.3	3.8	4.3	4.8	5.3	5.8	6.3	6.8	7.3
4.6	1.8	2.3	2.9	3.4	3.9	4.5	5.0	5.5	6.1	6.6	7.1	7.7
4.8	1.9	2.4	3.0	3.6	4.1	4.7	5.2	5.8	6.3	6.9	7.4	8.0
5.0	2.0	2.5	3.1	3.7	4.3	4.9	5.4	6.0	6.6	7.2	7.7	8.3
5.2	2.0	2.6	3.2	3.8	4.4	5.0	5.6	6.2	6.8	7.4	8.0	8.6
5.4	2.1	2.8	3.4	4.0	4.6	5.2	5.7	6.5	7.1	7.7	8.4	9.0
5.6	2.2	2.9	3.5	4.1	4.8	5.4	6.1	6.7	7.4	8.0	8.7	9.3
5.8	2.3	3.0	3.6	4.3	5.0	5.6	6.3	7.0	7.6	8.3	9.0	9.6
6.0	2.4	3.1	3.7	4.4	5.1	5.8	6.5	7.2	7.9	8.6	9.3	9.9

TIDAL HEIGHTS — PORTS & PLACES

Pencil-in height of HW Cherbourg ▶	4.8	5.0	5.2	5.4	5.6	5.8	6.0	6.2	6.4	6.6	6.8
Lymington (& Yarmouth approx)	1.5	1.4	1.4	1.3	1.1	1.0	0.9	0.7	0.6	0.5	0.4	0.3
Portsmouth (Chichester entrance & Cowes approx)	2.0	1.9	1.7	1.6	1.4	1.3	1.1	1.0	0.8	0.7	0.6	0.5
Cherbourg (& Omonville approx)	3.2	3.1	2.9	2.8	2.7	2.5	2.4	2.2	2.1	1.9	1.8	1.6
Braye, Alderney	3.4	3.4	3.4	3.4	3.4	3.5	3.5	3.5	3.5	3.5	3.5	3.5
Weymouth	1.0	1.0	1.0	1.0	0.9	0.9	0.9	0.8	0.8	0.8	0.9	0.9
Poole entrance	1.2	1.1	1.1	1.0	1.0	0.9	0.8	0.7	0.6	0.5	0.3	0.2
Poole Town Quay	1.3	1.2	1.2	1.1	1.0	0.9	0.8	0.6	0.5	0.4	0.3	0.2
St Peter Port & Sark	5.6	5.6	5.6	5.6	5.6	5.7	5.7	5.7	5.7	5.7	5.8	5.8
St Helier	6.7	6.8	6.8	6.9	6.9	7.0	7.0	7.1	7.1	7.2	7.2	7.3
St Malo	7.9	7.9	7.9	7.9	7.9	8.0	8.0	8.0	8.0	8.1	8.1	8.2
Lezardrieux	6.6	6.7	6.9	7.0	7.1	7.3	7.4	7.6	7.7	7.8	8.0	8.1
Paimpol	6.7	6.8	7.0	7.1	7.3	7.4	7.6	7.7	7.9	8.0	8.2	8.3
Le Havre	3.1	2.9	2.7	2.5	2.2	2.0	1.8	1.5	1.3	1.1	0.9	0.7

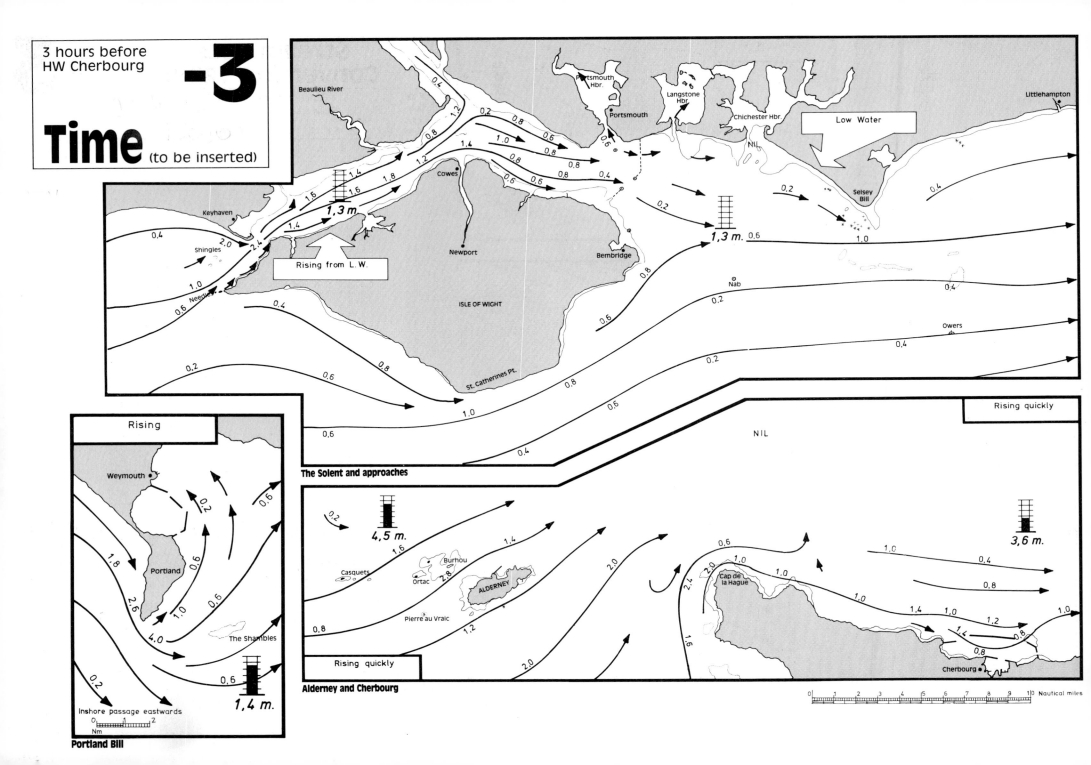

3 hours before
HW Cherbourg

-3

Time (to be inserted)

The Solent and approaches

Rising from L.W.

Low Water

Rising quickly

NIL

Beaulieu River
Keyhaven
Shingles
Needles
Cowes
Newport
ISLE OF WIGHT
St. Catherines Pt.
Portsmouth Hbr.
Portsmouth
Langstone Hbr.
Chichester Hbr.
Selsey Bill
Littlehampton
Bembridge
Nab
Owers

1,3 m.
1,3 m.

Portland Bill

Rising

Weymouth
Portland
The Shambles
Inshore passage eastwards

1,4 m.

Alderney and Cherbourg

Rising quickly

Casquets
Burhou
Ortac
ALDERNEY
Pierre au Vraic
Cap de la Hague
Cherbourg

4,5 m.
3,6 m.

0 1 2 3 4 5 6 7 8 9 10 Nautical miles
0 1 2 Nm

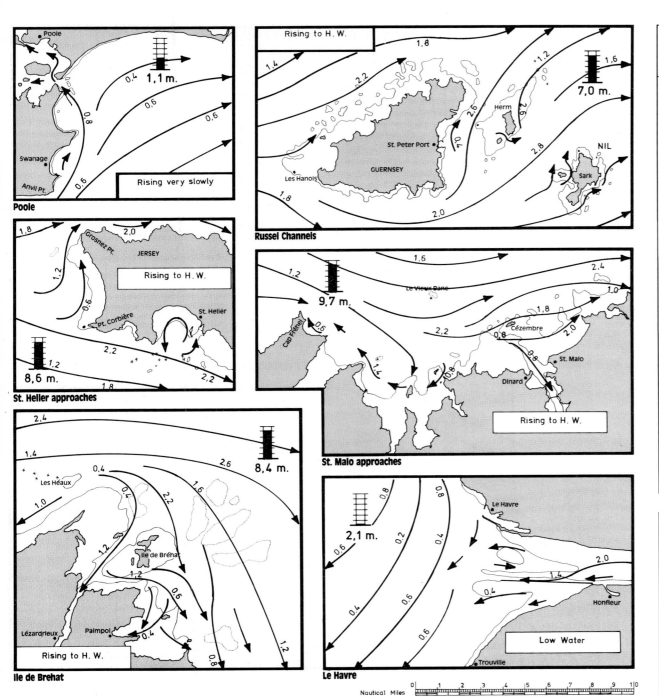

-3

Stream Rate Conversion Table

Mean Rate Figure from Chart ▼	Pencil-in height of HW Cherbourg — Read from column below pencil mark										
	4.8	5.0	5.2	5.4	5.6	5.8	6.0	6.2	6.4	6.6	6.8
0.2	0.1	0.1	0.1	0.1	0.2	0.2	0.2	0.2	0.3	0.3	0.3
0.4	0.2	0.2	0.2	0.3	0.3	0.4	0.4	0.5	0.5	0.6	0.6	0.7
0.6	0.2	0.3	0.4	0.4	0.5	0.6	0.7	0.7	0.8	0.9	0.9	1.0
0.8	0.4	0.4	0.5	0.6	0.7	0.8	0.9	1.0	1.1	1.1	1.2	1.3
1.0	0.4	0.5	0.6	0.7	0.9	1.0	1.1	1.2	1.3	1.4	1.5	1.7
1.2	0.5	0.6	0.7	0.9	1.0	1.2	1.3	1.4	1.6	1.7	1.9	2.0
1.4	0.6	0.7	0.9	1.0	1.2	1.4	1.5	1.7	1.8	2.0	2.2	2.3
1.6	0.6	0.8	1.0	1.2	1.4	1.6	1.7	1.9	2.1	2.3	2.5	2.7
1.8	0.7	0.9	1.1	1.3	1.5	1.7	2.0	2.2	2.4	2.6	2.8	3.0
2.0	0.8	1.0	1.2	1.5	1.7	1.9	2.2	2.4	2.6	2.9	3.1	3.3
2.2	0.9	1.1	1.4	1.6	1.9	2.1	2.3	2.6	2.9	3.2	3.4	3.7
2.4	0.9	1.2	1.5	1.8	2.1	2.3	2.6	2.9	3.2	3.4	3.7	4.0
2.6	1.0	1.3	1.6	1.9	2.2	2.5	2.8	3.1	3.4	3.7	4.0	4.3
2.8	1.1	1.4	1.7	2.1	2.4	2.7	3.0	3.4	3.7	4.0	4.3	4.7
3.0	1.2	1.5	1.9	2.2	2.6	2.9	3.2	3.6	4.0	4.3	4.6	5.0
3.2	1.3	1.6	2.0	2.4	2.7	3.1	3.4	3.8	4.2	4.6	4.9	5.3
3.4	1.3	1.7	2.1	2.5	2.9	3.3	3.7	4.1	4.5	4.9	5.3	5.7
3.6	1.4	1.8	2.2	2.7	3.1	3.5	3.9	4.3	4.7	5.2	5.6	6.0
3.8	1.5	1.9	2.4	2.8	3.3	3.7	4.1	4.6	5.0	5.4	5.9	6.3
4.0	1.6	2.0	2.5	3.0	3.4	3.9	4.3	4.8	5.3	5.7	6.2	6.7
4.2	1.7	2.1	2.6	3.1	3.6	4.1	4.6	5.0	5.5	6.0	6.5	7.0
4.4	1.7	2.2	2.7	3.3	3.8	4.3	4.8	5.3	5.8	6.3	6.8	7.3
4.6	1.8	2.3	2.9	3.4	3.9	4.5	5.0	5.5	6.1	6.6	7.1	7.7
4.8	1.9	2.4	3.0	3.6	4.1	4.7	5.2	5.8	6.3	6.9	7.4	8.0
5.0	2.0	2.5	3.1	3.7	4.3	4.9	5.4	6.0	6.6	7.2	7.7	8.3
5.2	2.0	2.6	3.2	3.8	4.4	5.0	5.6	6.2	6.8	7.4	8.0	8.6
5.4	2.1	2.8	3.4	4.0	4.6	5.2	5.7	6.5	7.1	7.7	8.4	9.0
5.6	2.2	2.9	3.5	4.1	4.8	5.4	6.1	6.7	7.4	8.0	8.7	9.3
5.8	2.3	3.0	3.6	4.3	5.0	5.6	6.3	7.0	7.6	8.3	9.0	9.6
6.0	2.4	3.1	3.7	4.4	5.1	5.8	6.5	7.2	7.9	8.6	9.3	9.9

TIDAL HEIGHTS — PORTS & PLACES

Pencil-in height of HW Cherbourg ▶	4.8	5.0	5.2	5.4	5.6	5.8	6.0	6.2	6.4	6.6	6.8
Lymington (& Yarmouth approx)	1.6	1.5	1.5	1.4	1.3	1.2	1.1	0.9	0.8	0.7	0.6	0.5
Portsmouth (Chichester entrance & Cowes approx)	2.0	1.9	1.7	1.6	1.4	1.3	1.1	1.0	0.8	0.7	0.5	0.4
Cherbourg (& Omonville approx)	3.7	3.7	3.7	3.7	3.7	3.6	3.6	3.6	3.6	3.6	3.6	3.6
Braye, Alderney	3.9	4.0	4.2	4.3	4.4	4.5	4.7	4.8	4.9	5.0	5.2	5.3
Weymouth	1.3	1.3	1.3	1.3	1.4	1.4	1.4	1.5	1.5	1.6	1.7	1.8
Poole entrance	1.2	1.2	1.2	1.2	1.1	1.1	1.1	1.1	1.1	1.0	1.0	0.9
Poole Town Quay	1.4	1.3	1.3	1.2	1.1	1.1	0.9	0.9	0.8	0.7	0.7	0.6
St Peter Port & Sark	6.0	6.2	6.4	6.6	6.8	7.0	7.2	7.4	7.6	7.8	7.9	8.1
St Helier	7.2	7.5	7.7	8.0	8.3	8.6	8.9	9.2	9.5	9.7	10.0	10.2
St Malo	8.5	8.8	9.0	9.3	9.6	9.8	10.1	10.3	10.6	10.8	11.1	11.3
Lezardrieux	7.2	7.5	7.7	8.0	8.3	8.5	8.8	9.0	9.3	9.5	9.8	10.0
Paimpol	7.1	7.4	7.8	8.1	8.5	8.8	9.2	9.5	9.9	10.2	10.5	10.8
Le Havre	3.5	3.2	3.0	2.7	2.4	2.1	1.8	1.5	1.2	1.0	0.7	0.5

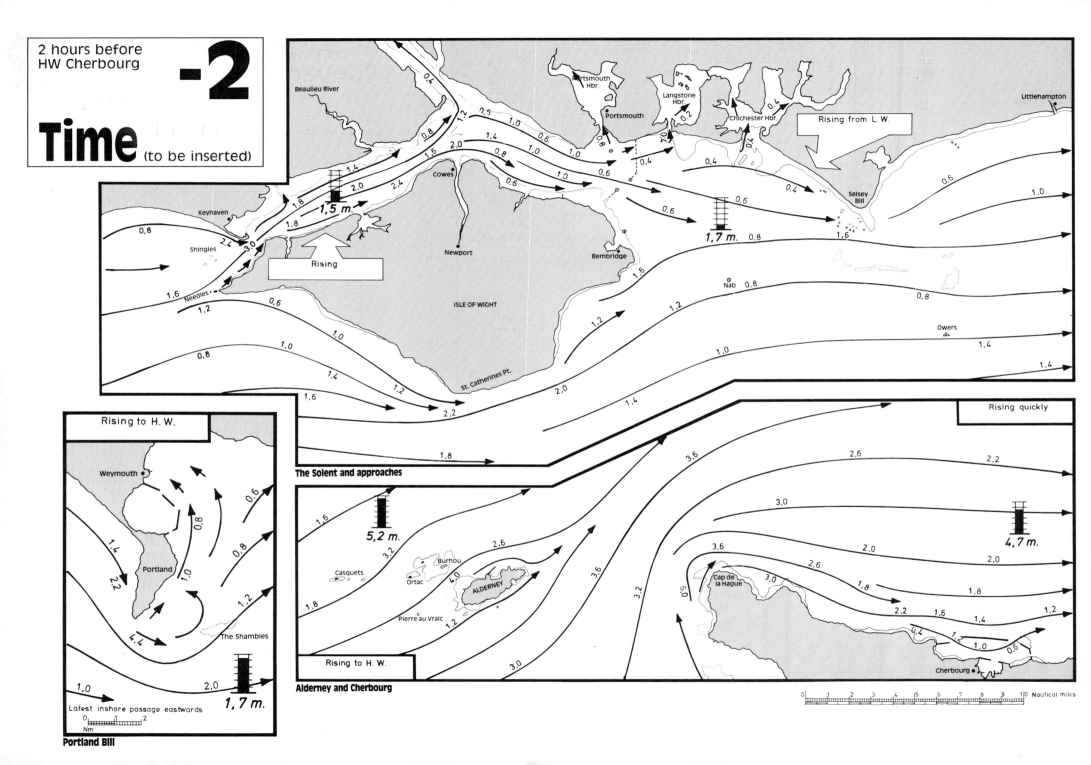

2 hours before HW Cherbourg

-2

Time (to be inserted)

Beaulieu River

Portsmouth Hbr.

Portsmouth

Langstone Hbr.

Chichester Hbr.

Littlehampton

Rising from L.W.

0.4
0.4
1.0
0.5
0.6
1.0
0.2
1.4
2.0
1.0
1.0
0.8
1.5
0.6
Cowes
0.6
1.0
0.6
0.4
Selsey Bill
0.5
0.4
0.4
1.0
1.4
1.8
1.5 m.
1.8
Keyhaven
0.8
0.6
1.7 m.
0.8
0.8
Shingles
2.4
3.0
Newport
Bembridge
1.6
Nab 0.8
0.8
1.6
Needles
1.6
1.2
0.6
ISLE OF WIGHT
1.2
1.2
Owers
1.0
0.8
1.0
1.4
1.4
St. Catherines Pt.
2.0
1.0
1.6
1.2
2.2
1.4

Rising

The Solent and approaches

1.8

Rising quickly

2.6
2.2
3.6
3.0
2.6
2.0
4.7 m.
5.2 m.
1.6
3.2
2.6
3.6
3.6
Burhou
Casquets
Ortac
2.6
2.0
3.6
Cap de la Hague
3.0
1.8
1.8
4.0
ALDERNEY
3.2
6.0
1.8
Pierre au Vraic
1.2
2.2
1.6
1.4
1.2
0.4
1.2
1.0
0.6

Rising to H. W.

3.0

Cherbourg

Alderney and Cherbourg

Rising to H. W.

Weymouth

0.6
0.8
0.8
1.4
1.0
2.2
Portland
0.8
1.2
4.4
The Shambles
1.7 m.
1.0
2.0

Latest inshore passage eastwards

0   1   2
Nm

Portland Bill

0 1 2 3 4 5 6 7 8 9 10 Nautical miles

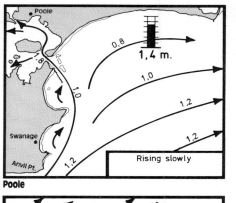
Poole
1,4 m.
Rising slowly

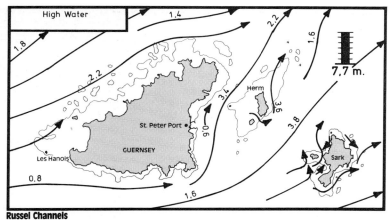
Russel Channels
High Water
7,7 m.

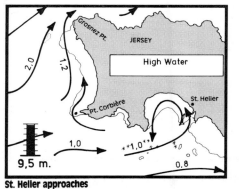
St. Helier approaches
JERSEY
High Water
9,5 m.

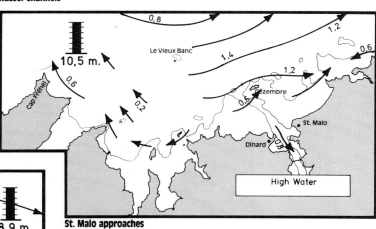
St. Malo approaches
10,5 m.
High Water

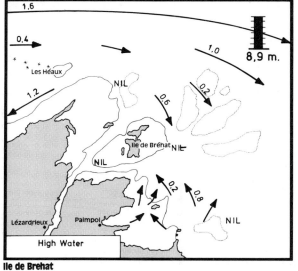
Ile de Brehat
High Water
8,9 m.
NIL

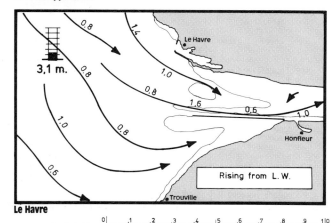
Le Havre
3,1 m.
Rising from L.W.

Nautical Miles 0 1 2 3 4 5 6 7 8 9 10

-2

Stream Rate Conversion Table

Mean Rate Figure from Chart ▼	Pencil-in height of HW Cherbourg Read from column below pencil mark										
	4.8	5.0	5.2	5.4	5.6	5.8	6.0	6.2	6.4	6.6	6.8
0.2	0.1	0.1	0.1	0.1	0.2	0.2	0.2	0.2	0.3	0.3	0.3	0.3
0.4	0.2	0.2	0.2	0.3	0.3	0.4	0.4	0.5	0.5	0.6	0.6	0.7
0.6	0.2	0.3	0.4	0.4	0.5	0.6	0.7	0.7	0.8	0.9	0.9	1.0
0.8	0.4	0.4	0.5	0.6	0.7	0.8	0.9	1.0	1.1	1.1	1.2	1.3
1.0	0.4	0.5	0.6	0.7	0.9	1.0	1.1	1.2	1.3	1.4	1.5	1.7
1.2	0.5	0.6	0.7	0.9	1.0	1.2	1.3	1.4	1.6	1.7	1.9	2.0
1.4	0.6	0.7	0.9	1.0	1.2	1.4	1.5	1.7	1.8	2.0	2.2	2.3
1.6	0.6	0.8	1.0	1.2	1.4	1.6	1.7	1.9	2.1	2.3	2.5	2.7
1.8	0.7	0.9	1.1	1.3	1.5	1.7	2.0	2.2	2.4	2.6	2.8	3.0
2.0	0.8	1.0	1.2	1.5	1.7	1.9	2.2	2.4	2.6	2.9	3.1	3.3
2.2	0.9	1.1	1.4	1.6	1.9	2.1	2.3	2.6	2.9	3.2	3.4	3.7
2.4	0.9	1.2	1.5	1.8	2.1	2.3	2.6	2.9	3.2	3.4	3.7	4.0
2.6	1.0	1.3	1.6	1.9	2.2	2.5	2.8	3.1	3.4	3.7	4.0	4.3
2.8	1.1	1.4	1.7	2.1	2.4	2.7	3.0	3.4	3.7	4.0	4.3	4.7
3.0	1.2	1.5	1.9	2.2	2.6	2.9	3.2	3.6	4.0	4.3	4.6	5.0
3.2	1.3	1.6	2.0	2.4	2.7	3.1	3.4	3.8	4.2	4.6	4.9	5.3
3.4	1.3	1.7	2.1	2.5	2.9	3.3	3.7	4.1	4.5	4.9	5.3	5.7
3.8	1.5	1.9	2.4	2.8	3.3	3.7	4.1	4.6	5.0	5.4	5.9	6.3
4.0	1.6	2.0	2.5	3.0	3.4	3.9	4.3	4.8	5.3	5.7	6.2	6.7
4.2	1.7	2.1	2.6	3.1	3.6	4.1	4.6	5.0	5.5	6.0	6.5	7.0
4.4	1.7	2.2	2.7	3.3	3.8	4.3	4.8	5.3	5.8	6.3	6.8	7.3
4.6	1.8	2.3	2.9	3.4	3.9	4.5	5.0	5.6	6.1	6.6	7.1	7.7
4.8	1.9	2.4	3.0	3.6	4.1	4.7	5.2	5.8	6.3	6.9	7.4	8.0
5.0	2.0	2.5	3.1	3.7	4.3	4.9	5.4	6.0	6.6	7.2	7.7	8.3
5.2	2.0	2.6	3.2	3.8	4.4	5.0	5.6	6.2	6.8	7.4	8.0	8.6
5.4	2.1	2.8	3.4	4.0	4.6	5.2	5.7	6.5	7.1	7.7	8.4	9.0
5.6	2.2	2.9	3.5	4.1	4.8	5.4	6.1	6.7	7.4	8.0	8.7	9.3
5.8	2.3	3.0	3.6	4.3	5.0	5.6	6.3	7.0	7.6	8.3	9.0	9.6
6.0	2.4	3.1	3.7	4.4	5.1	5.8	6.5	7.2	7.9	8.6	9.3	9.9

TIDAL HEIGHTS — PORTS & PLACES

Pencil-in height of HW Cherbourg ▶	4.8	5.0	5.2	5.4	5.6	5.8	6.0	6.2	6.4	6.6	6.8
Lymington (& Yarmouth approx)	1.6	1.6	1.6	1.6	1.5	1.5	1.5	1.4	1.4	1.4	1.3	1.3
Portsmouth (Chichester entrance & Cowes approx)	2.1	2.0	2.0	1.9	1.8	1.7	1.6	1.5	1.4	1.4	1.3	1.3
Cherbourg (& Omonville approx)	4.2	4.3	4.5	4.6	4.7	4.8	4.9	5.0	5.1	5.2	5.3	5.4
Braye, Alderney	4.3	4.5	4.7	4.9	5.1	5.3	5.5	5.7	5.9	6.1	6.3	6.5
Weymouth	1.3	1.4	1.4	1.5	1.6	1.7	1.8	1.9	2.0	2.1	2.2	2.3
Poole entrance	1.3	1.3	1.3	1.3	1.4	1.4	1.4	1.5	1.5	1.5	1.5	1.5
Poole Town Quay	1.4	1.4	1.4	1.4	1.3	1.3	1.3	1.3	1.3	1.3	1.2	1.2
St Peter Port & Sark	6.2	6.5	6.9	7.2	7.5	7.8	8.2	8.5	8.8	9.0	9.3	9.5
St Helier	7.5	7.9	8.3	8.7	9.2	9.6	10.0	10.5	10.9	11.3	11.6	12.0
St Malo	8.4	8.9	9.3	9.8	10.2	10.7	11.1	11.6	12.0	12.3	12.6	12.9
Lezardrieux	7.1	7.5	7.9	8.3	8.7	9.0	9.4	9.8	10.2	10.5	10.7	11.0
Paimpol	7.2	7.6	8.0	8.4	8.8	9.2	9.6	10.0	10.4	10.7	11.0	11.3
Le Havre	4.1	3.9	3.7	3.5	3.3	3.1	2.9	2.7	2.5	2.3	2.2	2.0

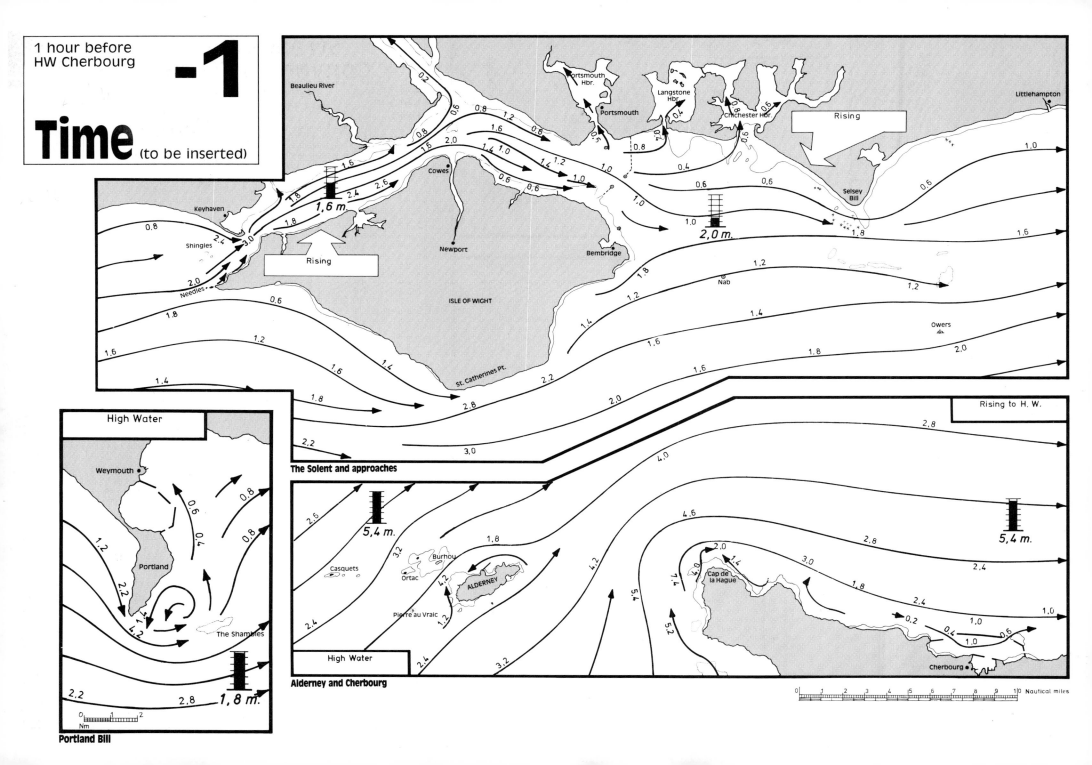

1 hour before HW Cherbourg **-1**

Time (to be inserted)

Beaulieu River

Keyhaven

Shingles

Needles

Cowes

Newport

Bembridge

ISLE OF WIGHT

St. Catherines Pt.

Portsmouth Hbr.

Portsmouth

Langstone Hbr.

Chichester Hbr.

Littlehampton

Selsey Bill

Nab

Owers

Rising

Rising

1,6 m.

2,0 m.

The Solent and approaches

High Water

Weymouth

Portland

The Shambles

1,8 m.

Portland Bill

Casquets

Burhou

Ortac

ALDERNEY

Pierre au Vraic

Cap de la Hague

Cherbourg

Rising to H. W.

5,4 m.

5,4 m.

High Water

Alderney and Cherbourg

0   1   2   3   4   5   6   7   8   9   10 Nautical miles

0   1   2
Nm

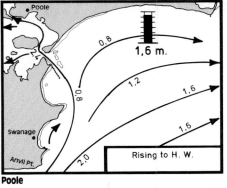

Poole

1,6 m.

Rising to H. W.

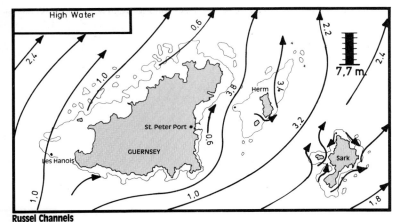

Russel Channels

High Water

7,7 m.

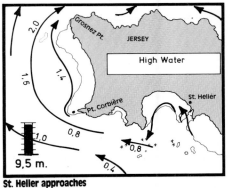

St. Helier approaches

High Water

9,5 m.

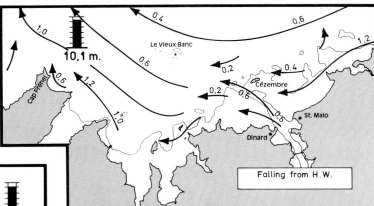

St. Malo approaches

10,1 m.

Falling from H.W.

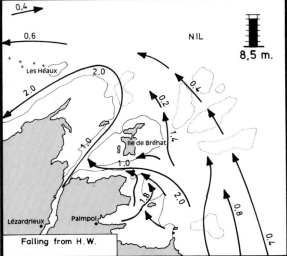

Ile de Brehat

NIL

8,5 m.

Falling from H.W.

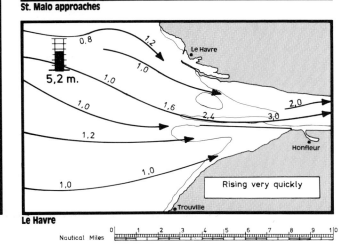

Le Havre

5,2 m.

Rising very quickly

Nautical Miles 0 1 2 3 4 5 6 7 8 9 10

-1

Stream Rate Conversion Table

Mean Rate Figure from Chart ▼	Pencil-in height of HW Cherbourg — Read from column below pencil mark											
	4.8	5.0	5.2	5.4	5.6	5.8	6.0	6.2	6.4	6.6	6.8
0.2	0.1	0.1	0.1	0.1	0.2	0.2	0.2	0.2	0.3	0.3	0.3	0.3
0.4	0.2	0.2	0.2	0.3	0.3	0.4	0.4	0.5	0.5	0.6	0.6	0.7
0.6	0.2	0.3	0.4	0.4	0.5	0.6	0.7	0.7	0.8	0.9	0.9	1.0
0.8	0.4	0.4	0.5	0.6	0.7	0.8	0.9	1.0	1.1	1.1	1.2	1.3
1.0	0.4	0.5	0.6	0.7	0.9	1.0	1.1	1.2	1.3	1.4	1.5	1.7
1.2	0.5	0.6	0.7	0.9	1.0	1.2	1.3	1.4	1.6	1.7	1.9	2.0
1.4	0.6	0.7	0.9	1.0	1.2	1.4	1.5	1.7	1.8	2.0	2.2	2.3
1.6	0.6	0.8	1.0	1.2	1.4	1.6	1.7	1.9	2.1	2.3	2.5	2.7
1.8	0.7	0.9	1.1	1.3	1.5	1.7	2.0	2.2	2.4	2.6	2.8	3.0
2.0	0.8	1.0	1.2	1.5	1.7	1.9	2.2	2.4	2.6	2.9	3.1	3.3
2.2	0.9	1.1	1.4	1.6	1.9	2.1	2.3	2.6	2.9	3.2	3.4	3.7
2.4	0.9	1.2	1.5	1.8	2.1	2.3	2.6	2.9	3.2	3.4	3.7	4.0
2.6	1.0	1.3	1.6	1.9	2.2	2.5	2.8	3.1	3.4	3.7	4.0	4.3
2.8	1.1	1.4	1.7	2.1	2.4	2.7	3.0	3.4	3.7	4.0	4.3	4.7
3.0	1.2	1.5	1.9	2.2	2.6	2.9	3.2	3.6	4.0	4.3	4.6	5.0
3.2	1.3	1.6	2.0	2.4	2.7	3.1	3.4	3.8	4.2	4.6	4.9	5.3
3.4	1.3	1.7	2.1	2.5	2.9	3.3	3.7	4.1	4.5	4.9	5.3	5.7
3.6	1.4	1.8	2.2	2.7	3.1	3.5	3.9	4.3	4.7	5.2	5.6	6.0
3.8	1.5	1.9	2.4	2.8	3.3	3.7	4.1	4.6	5.0	5.4	5.9	6.3
4.0	1.6	2.0	2.5	3.0	3.4	3.9	4.3	4.8	5.3	5.7	6.2	6.7
4.2	1.7	2.1	2.6	3.1	3.6	4.1	4.6	5.0	5.5	6.0	6.5	7.0
4.4	1.7	2.2	2.7	3.3	3.8	4.3	4.8	5.3	5.8	6.3	6.8	7.3
4.6	1.8	2.3	2.9	3.4	3.9	4.5	5.0	5.5	6.1	6.6	7.1	7.7
4.8	1.9	2.4	3.0	3.6	4.1	4.7	5.2	5.8	6.3	6.9	7.4	8.0
5.0	2.0	2.5	3.1	3.7	4.3	4.9	5.4	6.0	6.6	7.2	7.7	8.3
5.2	2.0	2.6	3.2	3.8	4.4	5.0	5.6	6.2	6.8	7.4	8.0	8.6
5.4	2.1	2.8	3.4	4.0	4.6	5.2	5.7	6.5	7.1	7.7	8.4	9.0
5.6	2.2	2.9	3.5	4.1	4.8	5.4	6.1	6.7	7.4	8.0	8.7	9.3
5.8	2.3	3.0	3.6	4.3	5.0	5.6	6.3	7.0	7.6	8.3	9.0	9.6
6.0	2.4	3.1	3.7	4.4	5.1	5.8	6.5	7.2	7.9	8.6	9.3	9.9

TIDAL HEIGHTS — PORTS & PLACES

Pencil-in height of HW Cherbourg ▶	4.8	5.0	5.2	5.4	5.6	5.8	6.0	6.2	6.4	6.6	6.8
Lymington (& Yarmouth approx)	1.7	1.7	1.7	1.7	1.7	1.7	1.7	1.7	1.8	1.8	1.8
Portsmouth (Chichester entrance & Cowes approx)	2.1	2.1	2.1	2.1	2.0	2.0	2.0	1.9	1.9	1.9	1.8
Cherbourg (& Omonville approx)	4.6	4.8	5.0	5.2	5.3	5.5	5.7	5.8	6.0	6.2	6.4
Braye, Alderney	4.4	4.6	4.8	5.0	5.3	5.5	5.7	6.0	6.2	6.4	6.7
Weymouth	1.2	1.3	1.5	1.6	1.7	1.9	2.0	2.2	2.3	2.5	2.6
Poole entrance	1.3	1.4	1.4	1.5	1.5	1.6	1.7	1.7	1.8	1.8	1.9
Poole Town Quay	1.5	1.5	1.5	1.5	1.6	1.6	1.7	1.7	1.8	1.8	1.8
St Peter Port & Sark	6.1	6.4	6.8	7.1	7.5	7.8	8.2	8.5	8.9	9.1	9.4
St Helier	7.3	7.8	8.2	8.7	9.1	9.6	10.0	10.5	10.9	11.2	11.6
St Malo	7.9	8.4	8.8	9.3	9.8	10.3	10.7	11.2	11.7	12.0	12.3
Lezardrieux	7.0	7.3	7.7	8.0	8.3	8.6	9.0	9.3	9.6	9.9	10.1
Paimpol	6.9	7.2	7.6	7.9	8.3	8.6	9.0	9.3	9.7	10.0	10.2
Le Havre	5.1	5.1	5.1	5.1	5.2	5.2	5.2	5.3	5.3	5.3	5.3

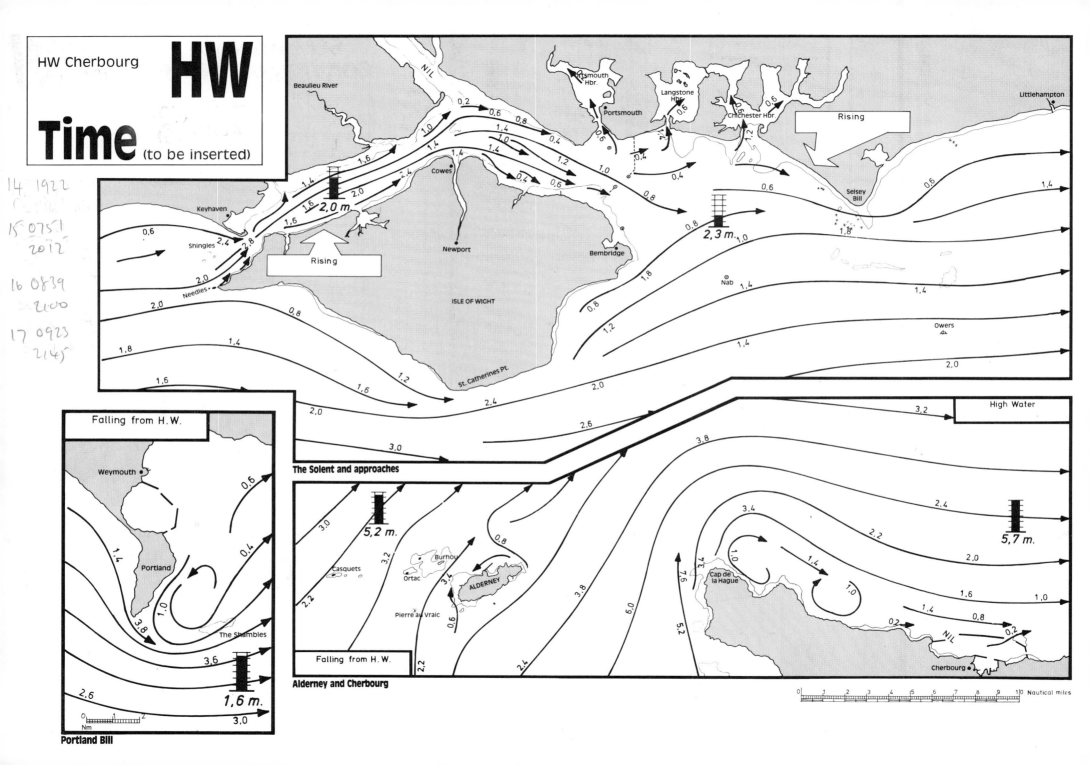

HW

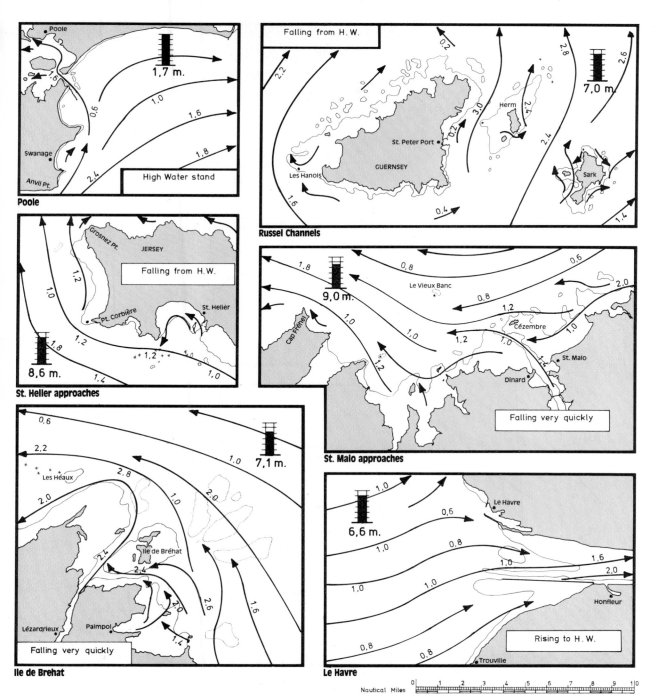

Poole — 1,7 m. — High Water stand

Russel Channels — 7,0 m. — Falling from H.W.

St. Helier approaches — 8,6 m. — Falling from H.W. (JERSEY, Grosnez Pt., Pt. Corbière, St. Helier)

St. Malo approaches — 9,0 m. / 7,1 m. — Falling very quickly (Cap Fréhel, Cézembre, St. Malo, Dinard)

Ile de Brehat — 7,1 m. — Falling very quickly (Les Héaux, Ile de Bréhat, Lézardrieux, Paimpol)

Le Havre — 6,6 m. — Rising to H.W. (Le Havre, Honfleur, Trouville)

Nautical Miles 0 1 2 3 4 5 6 7 8 9 10

Stream Rate Conversion Table

Mean Rate Figure from Chart ▼	Pencil-in height of HW Cherbourg — Read from column below pencil mark											
	4.8	5.0	5.2	5.4	5.6	5.8	6.0	6.2	6.4	6.6	6.8	7.0
0.2	0.1	0.1	0.1	0.1	0.2	0.2	0.2	0.2	0.3	0.3	0.3	0.3
0.4	0.2	0.2	0.2	0.3	0.3	0.4	0.4	0.5	0.5	0.6	0.6	0.7
0.6	0.2	0.3	0.4	0.4	0.5	0.6	0.7	0.7	0.8	0.9	0.9	1.0
0.8	0.4	0.4	0.5	0.6	0.7	0.8	0.9	1.0	1.1	1.1	1.2	1.3
1.0	0.4	0.5	0.6	0.7	0.9	1.0	1.1	1.2	1.3	1.4	1.5	1.7
1.2	0.5	0.6	0.7	0.9	1.0	1.2	1.3	1.4	1.6	1.7	1.9	2.0
1.4	0.6	0.7	0.9	1.0	1.2	1.4	1.5	1.7	1.8	2.0	2.2	2.3
1.6	0.6	0.8	1.0	1.2	1.4	1.6	1.7	1.9	2.1	2.3	2.5	2.7
1.8	0.7	0.9	1.1	1.3	1.5	1.7	2.0	2.2	2.4	2.6	2.8	3.0
2.0	0.8	1.0	1.2	1.5	1.7	1.9	2.2	2.4	2.6	2.9	3.1	3.3
2.2	0.9	1.1	1.4	1.6	1.9	2.1	2.3	2.6	2.9	3.2	3.4	3.7
2.4	0.9	1.2	1.5	1.8	2.1	2.3	2.6	2.9	3.2	3.4	3.7	4.0
2.6	1.0	1.3	1.6	1.9	2.2	2.5	2.8	3.1	3.4	3.7	4.0	4.3
2.8	1.1	1.4	1.7	2.1	2.4	2.7	3.0	3.4	3.7	4.0	4.3	4.7
3.0	1.2	1.5	1.9	2.2	2.6	2.9	3.2	3.6	4.0	4.3	4.6	5.0
3.2	1.3	1.6	2.0	2.4	2.7	3.1	3.4	3.8	4.2	4.6	4.9	5.3
3.4	1.3	1.7	2.1	2.5	2.9	3.3	3.7	4.1	4.5	4.9	5.3	5.7
3.6	1.4	1.8	2.2	2.7	3.1	3.5	3.9	4.3	4.7	5.2	5.6	6.0
3.8	1.5	1.9	2.4	2.8	3.3	3.7	4.1	4.6	5.0	5.4	5.9	6.3
4.0	1.6	2.0	2.5	3.0	3.4	3.9	4.3	4.8	5.3	5.7	6.2	6.7
4.2	1.7	2.1	2.6	3.1	3.6	4.1	4.6	5.0	5.5	6.0	6.5	7.0
4.4	1.7	2.2	2.7	3.3	3.8	4.3	4.8	5.3	5.8	6.3	6.8	7.3
4.6	1.8	2.3	2.9	3.4	3.9	4.5	5.0	5.6	6.1	6.6	7.1	7.7
4.8	1.9	2.4	3.0	3.6	4.1	4.7	5.2	5.8	6.3	6.9	7.4	8.0
5.0	2.0	2.5	3.1	3.7	4.3	4.9	5.4	6.0	6.6	7.2	7.7	8.3
5.2	2.0	2.6	3.2	3.8	4.4	5.0	5.6	6.2	6.8	7.4	8.0	8.6
5.4	2.1	2.8	3.4	4.0	4.6	5.2	5.7	6.5	7.1	7.7	8.4	9.0
5.6	2.2	2.9	3.5	4.1	4.8	5.4	6.1	6.7	7.4	8.0	8.7	9.3
5.8	2.3	3.0	3.6	4.3	5.0	5.6	6.3	7.0	7.6	8.3	9.0	9.6
6.0	2.4	3.1	3.7	4.4	5.1	5.8	6.5	7.2	7.9	8.6	9.3	9.9

TIDAL HEIGHTS — PORTS & PLACES

Pencil-in height of HW Cherbourg ▶	4.8	5.0	5.2	5.4	5.6	5.8	6.0	6.2	6.4	6.6	6.8	7.0
Lymington (& Yarmouth approx)	1.8	1.9	1.9	2.0	2.0	2.1	2.1	2.1	2.1	2.1	2.2	2.2
Portsmouth (Chichester entrance & Cowes approx)	2.4	2.4	2.4	2.4	2.3	2.3	2.3	2.2	2.2	2.2	2.2	2.2
Cherbourg (& Omonville approx)	4.7	4.9	5.1	5.3	5.5	5.7	5.9	6.1	6.3	6.5	6.7	6.9
Braye, Alderney	4.3	4.5	4.7	4.9	5.1	5.3	5.5	5.7	5.9	6.1	6.4	6.6
Weymouth	1.0	1.1	1.3	1.4	1.5	1.6	1.8	1.9	2.0	2.1	2.3	2.4
Poole entrance	1.3	1.4	1.4	1.5	1.5	1.6	1.7	1.9	2.0	2.0	2.1	2.1
Poole Town Quay	1.4	1.5	1.5	1.6	1.7	1.8	1.9	2.0	2.1	2.1	2.2	2.2
St Peter Port & Sark	5.9	6.1	6.3	6.6	6.9	7.1	7.4	7.6	7.9	8.1	8.3	8.5
St Helier	7.0	7.3	7.7	8.0	8.3	8.7	9.0	9.4	9.7	10.0	10.2	10.5
St Malo	7.2	7.6	8.0	8.4	8.8	9.1	9.5	9.9	10.3	10.5	10.7	10.9
Lezardrieux	5.9	6.2	6.4	6.7	6.9	7.2	7.4	7.7	7.9	8.1	8.2	8.4
Paimpol	6.2	6.4	6.6	6.8	7.1	7.3	7.5	7.8	8.0	8.3	8.7	9.0
Le Havre	5.7	5.9	6.1	6.3	6.4	6.6	6.8	7.0	7.1	7.2	7.3	7.4

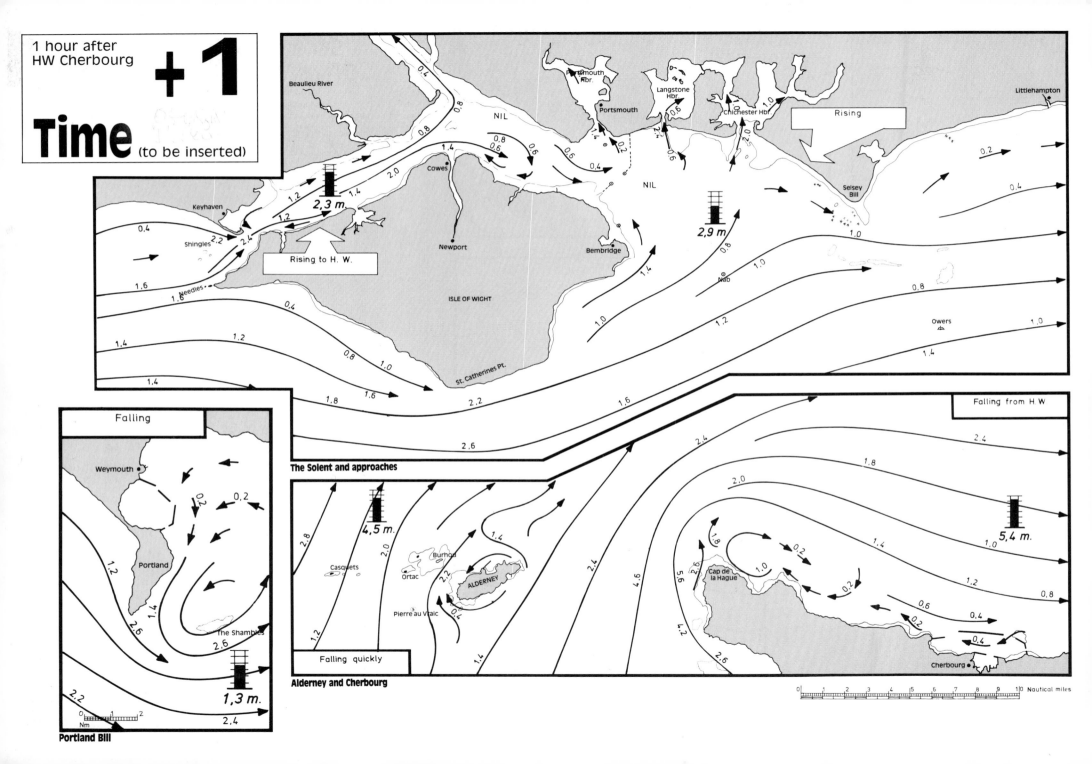

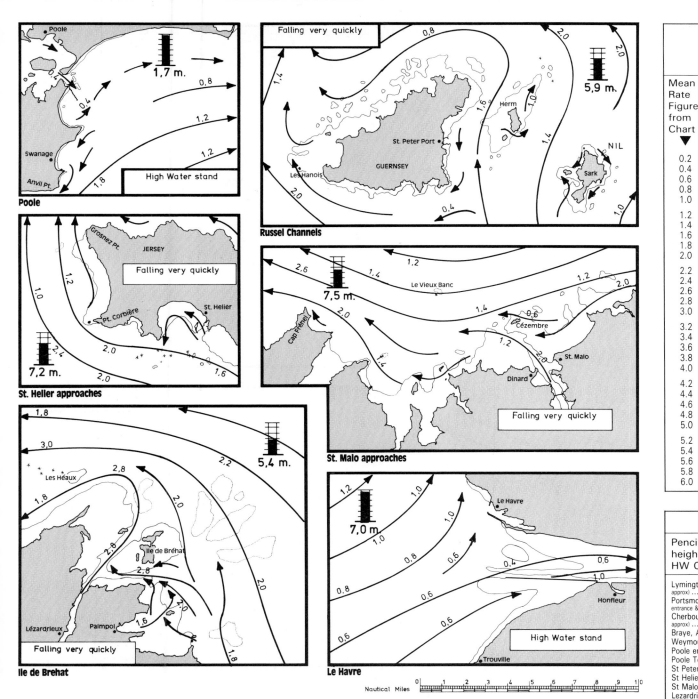

+1

Poole — 1,7 m. — High Water stand

Russel Channels — Falling very quickly — 5,9 m. — St. Peter Port, GUERNSEY, Herm, Sark, Les Hanois — NIL

St. Helier approaches — Grosnez Pt., JERSEY — Falling very quickly — Pt. Corbière, St. Helier — 7,2 m.

St. Malo approaches — 7,5 m. — Le Vieux Banc, Cézembre, Cap Fréhel, St. Malo, Dinard — Falling very quickly

Ile de Brehat — 5,4 m. — Les Héaux, Ile de Bréhat, Lézardrieux, Paimpol — Falling very quickly

Le Havre — 7,0 m. — Le Havre, Honfleur, Trouville — High Water stand

Nautical Miles 0 1 2 3 4 5 6 7 8 9 10

Stream Rate Conversion Table

Mean Rate Figure from Chart ▼	Pencil-in height of HW Cherbourg Read from column below pencil mark											
	4.8	5.0	5.2	5.4	5.6	5.8	6.0	6.2	6.4	6.6	6.8	
0.2	0.1	0.1	0.1	0.1	0.2	0.2	0.2	0.2	0.3	0.3	0.3	0.3
0.4	0.2	0.2	0.2	0.3	0.3	0.4	0.4	0.5	0.5	0.6	0.6	0.7
0.6	0.2	0.3	0.4	0.4	0.5	0.6	0.7	0.7	0.8	0.9	0.9	1.0
0.8	0.4	0.4	0.5	0.6	0.7	0.8	0.9	1.0	1.1	1.1	1.2	1.3
1.0	0.4	0.5	0.6	0.7	0.9	1.0	1.1	1.2	1.3	1.4	1.5	1.7
1.2	0.5	0.6	0.7	0.9	1.0	1.2	1.3	1.4	1.6	1.7	1.9	2.0
1.4	0.6	0.7	0.9	1.0	1.2	1.4	1.5	1.7	1.8	2.0	2.2	2.3
1.6	0.6	0.8	1.0	1.2	1.4	1.6	1.7	1.9	2.1	2.3	2.5	2.7
1.8	0.7	0.9	1.1	1.3	1.5	1.7	2.0	2.2	2.4	2.6	2.8	3.0
2.0	0.8	1.0	1.2	1.5	1.7	1.9	2.2	2.4	2.6	2.9	3.1	3.3
2.2	0.9	1.1	1.4	1.6	1.9	2.1	2.3	2.6	2.9	3.2	3.4	3.7
2.4	0.9	1.2	1.5	1.8	2.1	2.3	2.6	3.2	3.2	3.4	3.7	4.0
2.6	1.0	1.3	1.6	1.9	2.2	2.5	2.8	3.1	3.4	3.7	4.0	4.3
2.8	1.1	1.4	1.7	2.1	2.4	2.7	3.0	3.4	3.7	4.0	4.3	4.7
3.0	1.2	1.5	1.9	2.2	2.6	2.9	3.2	3.6	4.0	4.3	4.6	5.0
3.2	1.3	1.6	2.0	2.4	2.7	3.1	3.4	3.8	4.2	4.6	4.9	5.3
3.4	1.3	1.7	2.1	2.5	2.9	3.3	3.7	4.1	4.5	4.9	5.3	5.7
3.6	1.4	1.8	2.2	2.7	3.1	3.5	3.9	4.3	4.7	5.2	5.6	6.0
3.8	1.5	1.9	2.4	2.8	3.3	3.7	4.1	4.6	5.0	5.4	5.9	6.3
4.0	1.6	2.0	2.5	3.0	3.4	3.9	4.3	4.8	5.3	5.7	6.2	6.7
4.2	1.7	2.1	2.6	3.1	3.6	4.1	4.6	5.0	5.5	6.0	6.5	7.0
4.4	1.7	2.2	2.7	3.3	3.8	4.3	4.8	5.3	5.8	6.3	6.8	7.3
4.6	1.8	2.3	2.9	3.4	3.9	4.5	5.0	5.5	6.1	6.6	7.1	7.7
4.8	1.9	2.4	3.0	3.6	4.1	4.7	5.2	5.8	6.3	6.9	7.4	8.0
5.0	2.0	2.5	3.1	3.7	4.3	4.9	5.4	6.0	6.6	7.2	7.7	8.3
5.2	2.0	2.6	3.2	3.8	4.4	5.0	5.6	6.2	6.8	7.4	8.0	8.6
5.4	2.1	2.8	3.4	4.0	4.6	5.2	5.7	6.5	7.1	7.7	8.4	9.0
5.6	2.2	2.9	3.5	4.1	4.8	5.4	6.1	6.7	7.4	8.0	8.7	9.3
5.8	2.3	3.0	3.6	4.3	5.0	5.6	6.3	7.0	7.6	8.3	9.0	9.6
6.0	2.4	3.1	3.7	4.4	5.1	5.8	6.5	7.2	7.9	8.6	9.3	9.9

TIDAL HEIGHTS — PORTS & PLACES

Pencil-in height of ▶ HW Cherbourg	4.8	5.0	5.2	5.4	5.6	5.8	6.0	6.2	6.4	6.6	6.8
Lymington (& Yarmouth approx)	2.1	2.1	2.1	2.1	2.2	2.2	2.3	2.3	2.4	2.4	2.5	2.5
Portsmouth (Chichester entrance & Cowes approx)	2.8	2.8	2.8	2.8	2.9	2.9	2.9	3.0	3.0	3.0	3.1	3.1
Cherbourg (& Omonville approx)	4.6	4.8	5.0	5.2	5.3	5.5	5.7	5.8	6.0	6.2	6.4	6.5
Braye, Alderney	3.9	4.0	4.2	4.3	4.4	4.6	4.7	4.9	5.0	5.1	5.3	5.4
Weymouth	0.9	1.0	1.0	1.1	1.2	1.3	1.4	1.5	1.6	1.7	1.8	1.9
Poole entrance	1.5	1.5	1.5	1.5	1.6	1.6	1.7	1.8	1.8	1.9	2.0	2.0
Poole Town Quay	1.4	1.5	1.5	1.6	1.6	1.7	1.9	2.0	2.2	2.2	2.3	2.3
St Peter Port & Sark	5.3	5.4	5.6	5.7	5.8	5.9	6.1	6.2	6.3	6.4	6.4	6.5
St Helier	6.3	6.5	6.7	6.9	7.1	7.3	7.5	7.7	7.9	8.0	8.1	8.2
St Malo	6.5	6.7	6.9	7.1	7.3	7.6	7.8	8.0	8.2	8.3	8.3	8.4
Lezardrieux	5.1	5.2	5.3	5.4	5.4	5.4	5.5	5.5	5.6	5.6	5.6	5.6
Paimpol	5.3	5.4	5.4	5.5	5.6	5.6	5.7	5.7	5.8	5.8	5.9	5.9
Le Havre	6.1	6.3	6.5	6.7	6.9	7.1	7.3	7.5	7.7	7.8	8.0	8.1

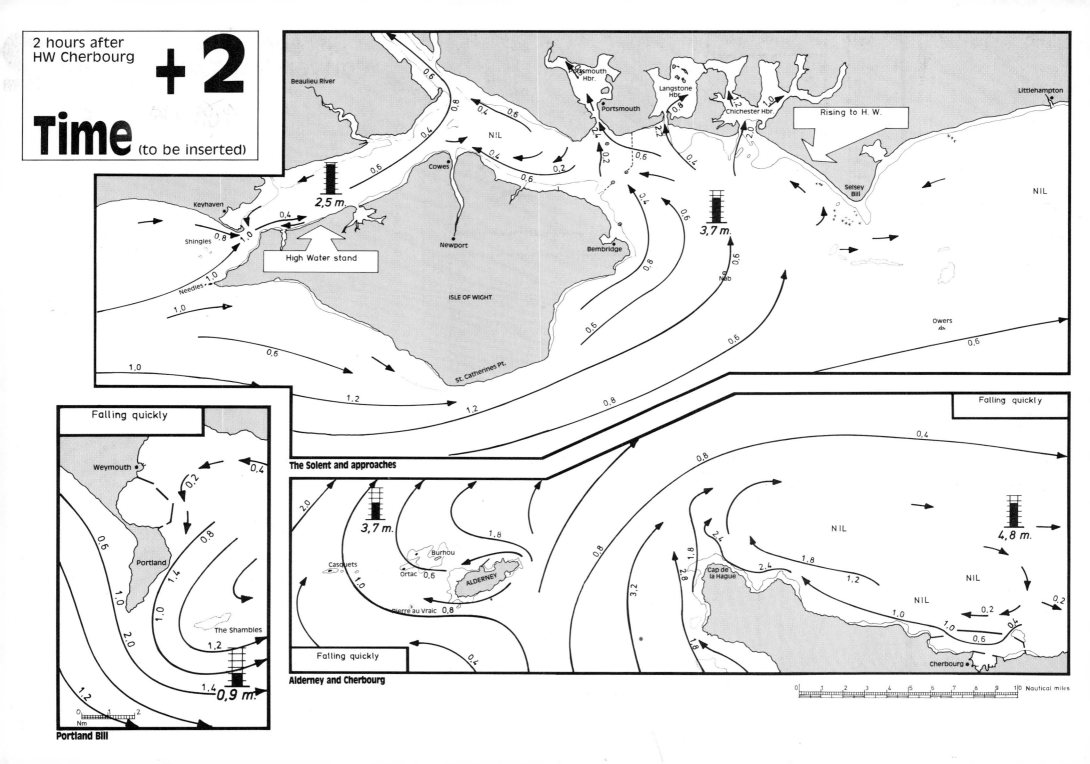

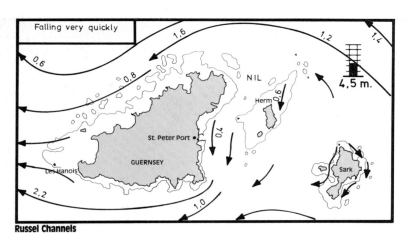

Russel Channels

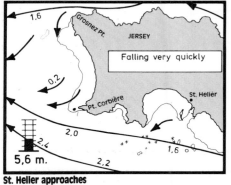

Poole

(Poole chart labels: Poole, Swanage, Anvil Pt., 1,6 m., 0.2, 0.4, 0.4, 1.0, High Water stand)

St. Helier approaches

(St. Helier chart labels: Grosnez Pt., JERSEY, Falling very quickly, Pt. Corbière, St. Helier, 1.6, 0.2, 2.0, 2.4, 5,6 m., 2.2, 1.6)

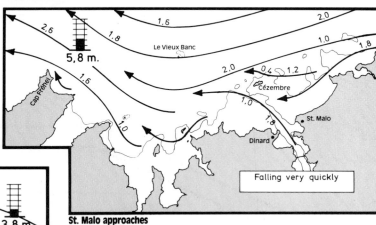

St. Malo approaches

(St. Malo labels: Le Vieux Banc, Cap Fréhel, Cézembre, St. Malo, Dinard, 5,8 m., Falling very quickly)

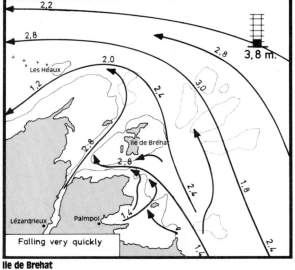

Ile de Brehat

(Ile de Brehat labels: Les Héaux, Ile de Bréhat, Lézardrieux, Paimpol, Falling very quickly, 2,2, 2,8, 2.0, 1.2, 2.8, 2.4, 3.0, 2.8, 2.4, 1.8, 2.4, 1.4, 3,8 m.)

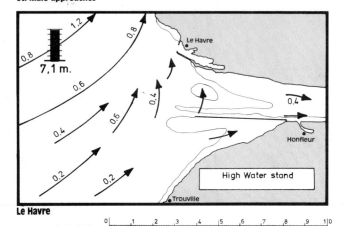

Le Havre

(Le Havre labels: Le Havre, Honfleur, Trouville, High Water stand, 7,1 m., 1.2, 0.8, 0.8, 0.6, 0.4, 0.6, 0.4, 0.2, 0.2, 0.4)

Nautical Miles 0 1 2 3 4 5 6 7 8 9 10

Stream Rate Conversion Table

Mean Rate Figure from Chart ▼	Pencil-in height of HW Cherbourg — Read from column below pencil mark											
	4.8	5.0	5.2	5.4	5.6	5.8	6.0	6.2	6.4	6.6	6.8	
0.2	0.1	0.1	0.1	0.1	0.2	0.2	0.2	0.2	0.3	0.3	0.3	0.3
0.4	0.2	0.2	0.2	0.3	0.3	0.4	0.4	0.5	0.5	0.6	0.6	0.7
0.6	0.2	0.3	0.4	0.4	0.5	0.6	0.7	0.7	0.8	0.9	0.9	1.0
0.8	0.4	0.4	0.5	0.6	0.7	0.8	0.9	1.0	1.1	1.1	1.2	1.3
1.0	0.4	0.5	0.6	0.7	0.9	1.0	1.1	1.2	1.3	1.4	1.5	1.7
1.2	0.5	0.6	0.7	0.9	1.0	1.2	1.3	1.4	1.6	1.7	1.9	2.0
1.4	0.6	0.7	0.9	1.0	1.2	1.4	1.5	1.7	1.8	2.0	2.2	2.3
1.6	0.6	0.8	1.0	1.2	1.4	1.6	1.7	1.9	2.1	2.3	2.5	2.7
1.8	0.7	0.9	1.1	1.3	1.5	1.7	2.0	2.2	2.4	2.6	2.8	3.0
2.0	0.8	1.0	1.2	1.5	1.7	1.9	2.2	2.4	2.6	2.9	3.1	3.3
2.2	0.9	1.1	1.4	1.6	1.9	2.1	2.3	2.6	2.9	3.2	3.4	3.7
2.4	0.9	1.2	1.5	1.8	2.1	2.3	2.6	2.9	3.2	3.4	3.7	4.0
2.6	1.0	1.3	1.6	1.9	2.2	2.5	2.8	3.1	3.4	3.7	4.0	4.3
2.8	1.1	1.4	1.7	2.1	2.4	2.7	3.0	3.4	3.7	4.0	4.3	4.7
3.0	1.2	1.5	1.9	2.2	2.6	2.9	3.2	3.6	4.0	4.3	4.6	5.0
3.2	1.3	1.6	2.0	2.4	2.7	3.1	3.4	3.8	4.2	4.6	4.9	5.3
3.4	1.3	1.7	2.1	2.5	2.9	3.3	3.7	4.1	4.5	4.9	5.3	5.7
3.6	1.4	1.8	2.2	2.7	3.1	3.5	3.9	4.3	4.7	5.2	5.6	6.0
3.8	1.5	1.9	2.4	2.8	3.3	3.7	4.1	4.6	5.0	5.4	5.9	6.3
4.0	1.6	2.0	2.5	3.0	3.4	3.9	4.3	4.8	5.3	5.7	6.2	6.7
4.2	1.7	2.1	2.6	3.1	3.6	4.1	4.6	5.0	5.5	6.0	6.5	7.0
4.4	1.7	2.2	2.7	3.3	3.8	4.3	4.8	5.3	5.8	6.3	6.8	7.3
4.6	1.8	2.3	2.9	3.4	3.9	4.5	5.0	5.5	6.1	6.6	7.1	7.7
4.8	1.9	2.4	3.0	3.6	4.1	4.7	5.2	5.8	6.3	6.9	7.4	8.0
5.0	2.0	2.5	3.1	3.7	4.3	4.9	5.4	6.0	6.6	7.2	7.7	8.3
5.2	2.0	2.6	3.2	3.8	4.4	5.0	5.6	6.2	6.8	7.4	8.0	8.6
5.4	2.1	2.8	3.4	4.0	4.6	5.2	5.7	6.5	7.1	7.7	8.4	9.0
5.6	2.2	2.9	3.5	4.1	4.8	5.4	6.1	6.7	7.4	8.0	8.7	9.3
5.8	2.3	3.0	3.6	4.3	5.0	5.6	6.3	7.0	7.6	8.3	9.0	9.6
6.0	2.4	3.1	3.7	4.4	5.1	5.8	6.5	7.2	7.9	8.6	9.3	9.9

TIDAL HEIGHTS — PORTS & PLACES

Pencil-in height of HW Cherbourg ▶	4.8	5.0	5.2	5.4	5.6	5.8	6.0	6.2	6.4	6.6	6.8
Lymington (& Yarmouth approx)	2.2	2.3	2.3	2.4	2.4	2.5	2.6	2.7	2.8	2.9	2.9	3.0
Portsmouth (Chichester entrance & Cowes approx)	3.3	3.4	3.4	3.5	3.6	3.7	3.7	3.8	3.9	4.0	4.0	4.1
Cherbourg (& Omonville approx)	4.4	4.5	4.5	4.6	4.7	4.8	4.9	5.0	5.1	5.2	5.3	5.4
Braye, Alderney	3.6	3.6	3.6	3.6	3.7	3.7	3.7	3.8	3.8	3.8	3.9	4.0
Weymouth	0.8	0.8	0.8	0.8	0.9	0.9	0.9	1.0	1.0	1.1	1.1	1.2
Poole entrance	1.5	1.5	1.5	1.5	1.5	1.5	1.6	1.6	1.7	1.7	1.7	1.7
Poole Town Quay	1.6	1.6	1.6	1.6	1.6	1.6	1.7	1.9	2.0	2.0	2.1	2.1
St Peter Port & Sark	4.8	4.7	4.7	4.6	4.6	4.5	4.5	4.4	4.4	4.3	4.3	4.2
St Helier	5.7	5.7	5.7	5.7	5.7	5.6	5.6	5.6	5.6	5.6	5.5	5.5
St Malo	5.8	5.8	5.8	5.8	5.8	5.9	5.9	5.9	5.8	5.8	5.7	5.7
Lezardrieux	4.4	4.3	4.1	4.0	3.9	3.8	3.7	3.6	3.5	3.4	3.2	3.1
Paimpol	4.6	4.5	4.3	4.2	4.1	4.0	3.9	3.8	3.7	3.5	3.4	3.2
Le Havre	6.2	6.4	6.6	6.8	7.0	7.2	7.4	7.6	7.8	7.9	8.1	8.2

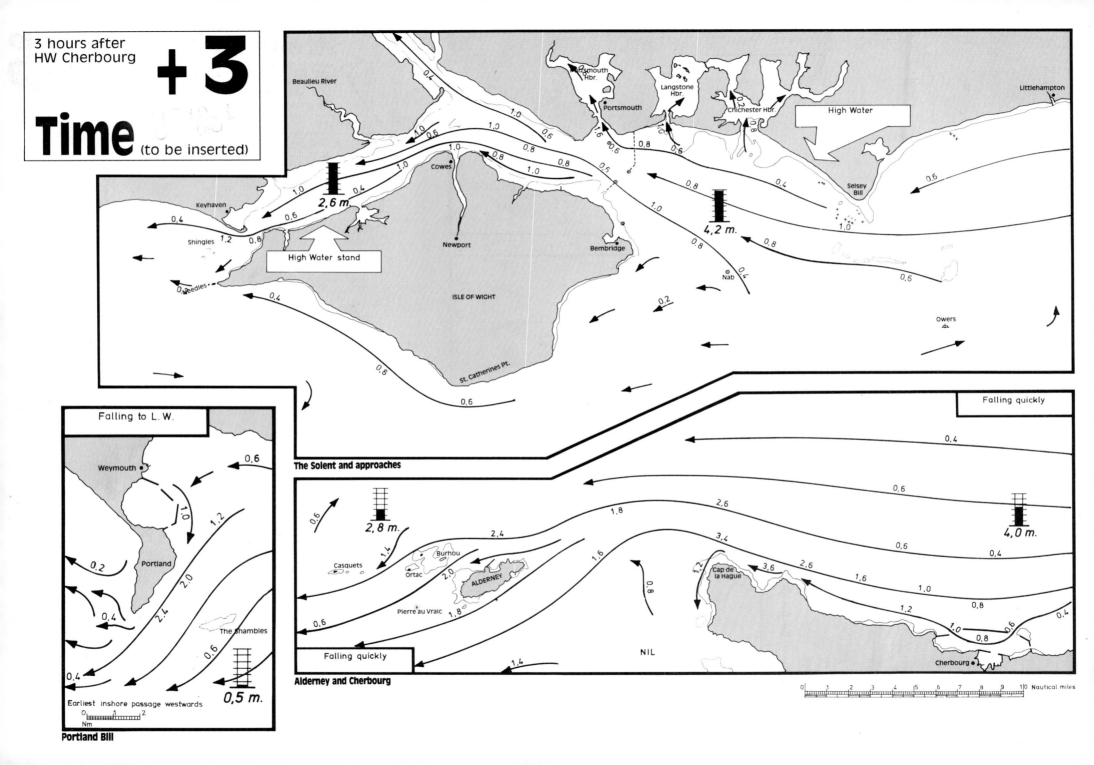

3 hours after HW Cherbourg **+3**

Time (to be inserted)

High Water

Beaulieu River

Portsmouth Hbr.

Portsmouth

Langstone Hbr.

Chichester Hbr.

Selsey Bill

Littlehampton

Cowes

0.4

1.0

0.6

1.9

0.5

0.8

1.0

0.8

0.8

0.5

1.6

0.6

0.8

0.6

2,6 m.

0.4

0.2

1.0

0.8

0.4

0.6

1.0

0.8

Keyhaven

0.4

Shingles

1.2

0.8

0.6

4,2 m.

1.0

0.8

High Water stand

Newport

Bembridge

0.4

Nab

0.8

0.6

Needles

0.4

0.4

ISLE OF WIGHT

St. Catherines Pt.

0.2

Owers

0.8

0.6

The Solent and approaches

Falling quickly

0.4

Falling to L.W.

Weymouth

0.6

0.6

1.0

1.2

0.6

2.6

1.8

0.6

0.4

2,8 m.

0.6

1.4

2.4

3.4

3.6

2.6

1.6

4,0 m.

Casquets

Burhou

2.0

Ortac

ALDERNEY

1.2

Cap de la Hague

1.0

0.8

0.2

Portland

1.6

0.8

0.4

2.0

Pierre au Vraic

1.8

Cherbourg

0.8

1.2

2.4

0.6

1.0

0.8

0.4

0.4

The Shambles

0.6

NIL

0.4

Falling quickly

1.4

0,5 m.

Earliest inshore passage westwards

0   1   2
Nm

Portland Bill

Alderney and Cherbourg

0 1 2 3 4 5 6 7 8 9 10 Nautical miles

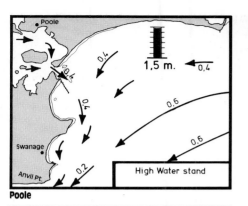

Poole

High Water stand — 1,5 m.

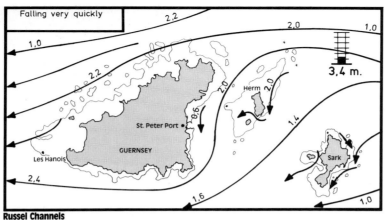

Russel Channels

Falling very quickly — 3,4 m.

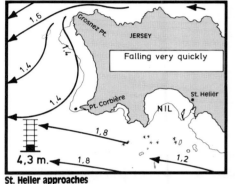

St. Helier approaches

Falling very quickly — 4,3 m.

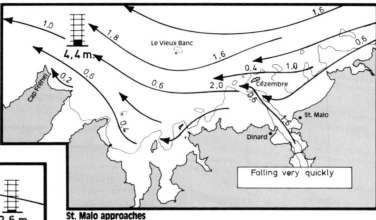

St. Malo approaches

Falling very quickly — 4,4 m.

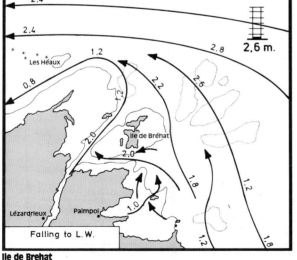

Ile de Brehat

Falling to L.W. — 2,6 m.

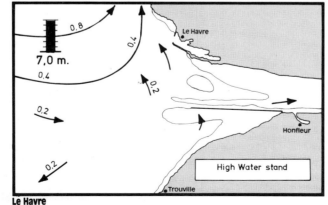

Le Havre

High Water stand — 7,0 m.

Nautical Miles 0 1 2 3 4 5 6 7 8 9 10

+3

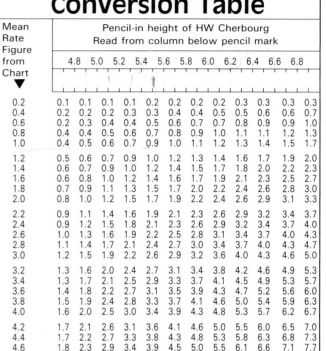

Stream Rate Conversion Table

Mean Rate Figure from Chart ▼	Pencil-in height of HW Cherbourg Read from column below pencil mark										
	4.8	5.0	5.2	5.4	5.6	5.8	6.0	6.2	6.4	6.6	6.8
0.2	0.1	0.1	0.1	0.1	0.2	0.2	0.2	0.2	0.3	0.3	0.3
0.4	0.2	0.2	0.2	0.3	0.3	0.4	0.4	0.5	0.5	0.6	0.6	0.7
0.6	0.2	0.3	0.4	0.4	0.5	0.6	0.7	0.7	0.8	0.9	0.9	1.0
0.8	0.4	0.4	0.5	0.6	0.7	0.8	0.9	1.0	1.1	1.1	1.2	1.3
1.0	0.4	0.5	0.6	0.7	0.9	1.0	1.1	1.2	1.3	1.4	1.5	1.7
1.2	0.5	0.6	0.7	0.9	1.0	1.2	1.3	1.4	1.6	1.7	1.9	2.0
1.4	0.6	0.7	0.9	1.0	1.2	1.4	1.5	1.7	1.8	2.0	2.2	2.3
1.6	0.6	0.8	1.0	1.2	1.4	1.6	1.7	1.9	2.1	2.3	2.5	2.7
1.8	0.7	0.9	1.1	1.3	1.5	1.7	2.0	2.2	2.4	2.6	2.8	3.0
2.0	0.8	1.0	1.2	1.5	1.7	1.9	2.2	2.4	2.6	2.9	3.1	3.3
2.2	0.9	1.1	1.4	1.6	1.9	2.1	2.3	2.6	2.9	3.2	3.4	3.7
2.4	0.9	1.2	1.5	1.8	2.1	2.3	2.6	2.9	3.2	3.4	3.7	4.0
2.6	1.0	1.3	1.6	1.9	2.2	2.5	2.8	3.1	3.4	3.7	4.0	4.3
2.8	1.1	1.4	1.7	2.1	2.4	2.7	3.0	3.4	3.7	4.0	4.3	4.7
3.0	1.2	1.5	1.9	2.2	2.6	2.9	3.2	3.6	4.0	4.3	4.6	5.0
3.2	1.3	1.6	2.0	2.4	2.7	3.1	3.4	3.8	4.2	4.6	4.9	5.3
3.4	1.3	1.7	2.1	2.5	2.9	3.3	3.7	4.1	4.5	4.9	5.3	5.7
3.6	1.4	1.8	2.2	2.7	3.1	3.5	3.9	4.3	4.7	5.2	5.6	6.0
3.8	1.5	1.9	2.4	2.8	3.3	3.7	4.1	4.6	5.0	5.4	5.9	6.3
4.0	1.6	2.0	2.5	3.0	3.4	3.9	4.3	4.8	5.3	5.7	6.2	6.7
4.2	1.7	2.1	2.6	3.1	3.6	4.1	4.6	5.0	5.5	6.0	6.5	7.0
4.4	1.7	2.2	2.7	3.3	3.8	4.3	4.8	5.3	5.8	6.3	6.8	7.3
4.6	1.8	2.3	2.9	3.4	3.9	4.5	5.0	5.5	6.1	6.6	7.1	7.7
4.8	1.9	2.4	3.0	3.6	4.1	4.7	5.2	5.8	6.3	6.9	7.4	8.0
5.0	2.0	2.5	3.1	3.7	4.3	4.9	5.4	6.0	6.6	7.2	7.7	8.3
5.2	2.0	2.6	3.2	3.8	4.4	5.0	5.6	6.2	6.8	7.4	8.0	8.6
5.4	2.1	2.8	3.4	4.0	4.6	5.2	5.7	6.5	7.1	7.7	8.4	9.0
5.6	2.2	2.9	3.5	4.1	4.8	5.4	6.1	6.7	7.4	8.0	8.7	9.3
5.8	2.3	3.0	3.6	4.3	5.0	5.6	6.3	7.0	7.6	8.3	9.0	9.6
6.0	2.4	3.1	3.7	4.4	5.1	5.8	6.5	7.2	7.9	8.6	9.3	9.9

TIDAL HEIGHTS — PORTS & PLACES

Pencil-in height of ▶ HW Cherbourg	4.8	5.0	5.2	5.4	5.6	5.8	6.0	6.2	6.4	6.6	6.8
Lymington (& Yarmouth approx)	2.4	2.5	2.5	2.6	2.6	2.7	2.8	2.8	2.9	3.0	3.0	3.1
Portsmouth (Chichester entrance & Cowes approx)	3.5	3.6	3.8	3.9	4.0	4.2	4.3	4.5	4.6	4.7	4.8	4.9
Cherbourg (& Omonville approx)	3.9	3.9	3.9	3.9	4.0	4.0	4.0	4.1	4.1	4.1	4.1	4.1
Braye, Alderney	3.2	3.1	3.1	3.0	2.9	2.8	2.8	2.7	2.6	2.5	2.5	2.4
Weymouth	0.8	0.7	0.7	0.6	0.6	0.5	0.5	0.4	0.4	0.4	0.4	0.4
Poole entrance	1.5	1.5	1.5	1.5	1.5	1.5	1.5	1.5	1.5	1.5	1.4	1.4
Poole Town Quay	1.7	1.7	1.7	1.7	1.7	1.7	1.7	1.7	1.7	1.7	1.7	1.7
St Peter Port & Sark	4.4	4.2	4.0	3.8	3.6	3.3	3.1	2.9	2.7	2.5	2.3	2.1
St Helier	5.2	5.0	4.8	4.6	4.4	4.3	4.1	3.9	3.7	3.5	3.4	3.2
St Malo	5.3	5.1	4.9	4.7	4.5	4.4	4.2	4.0	3.8	3.6	3.4	3.2
Lezardrieux	3.9	3.6	3.4	3.1	2.8	2.6	2.3	2.1	1.8	1.5	1.3	1.0
Paimpol	4.1	3.8	3.6	3.3	3.0	2.7	2.5	2.2	1.9	1.6	1.4	1.1
Le Havre	6.0	6.3	6.4	6.6	6.8	7.1	7.3	7.5	7.7	7.8	8.0	8.1

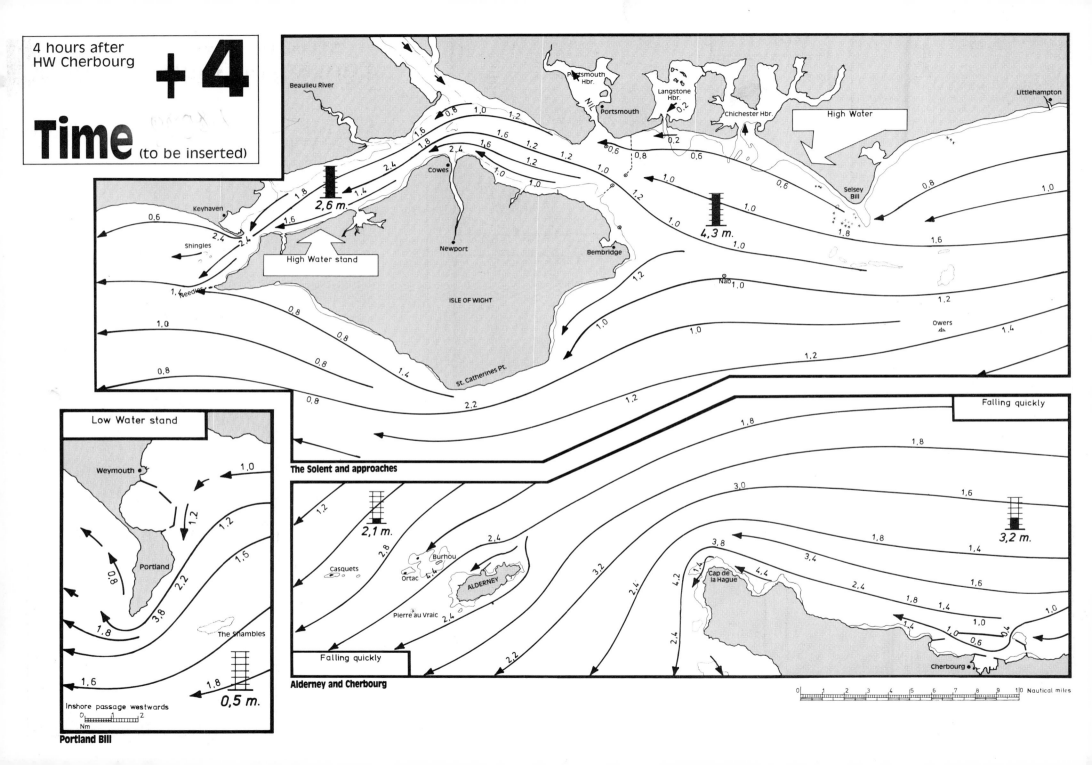

4 hours after HW Cherbourg

+4

Time (to be inserted)

High Water

Beaulieu River

Portsmouth Hbr.

Portsmouth

Langstone Hbr.

Chichester Hbr.

Littlehampton

NIL

0.2

0.2

0.6

0.8

0.8

1.0

1.2

1.6

1.8

2.4

1.6

1.6

1.2

1.2

1.0

1.0

1.2

1.2

0.6

0.6

0.8

1.0

Keyhaven

Cowes

Selsey Bill

0.6

2.4

2.4

1.6

1.4

2,6 m.

4,3 m.

1.8

1.0

1.0

1.0

1.0

1.8

1.6

Shingles

Newport

Bembridge

High Water stand

Needles

1.4

St. Catherines Pt.

ISLE OF WIGHT

1.2

Nab

1.0

Owers

1.2

1.4

1.0

0.8

0.8

0.8

0.8

1.4

1.0

1.0

2.2

1.2

1.8

Falling quickly

The Solent and approaches

1.8

1.8

Low Water stand

Weymouth

1.0

1.2

3.0

1.6

1.4

1.8

3,2 m.

1.2

1.2

1.2

1.5

0.8

Portland

2.2

3.8

1.8

2,1 m.

2.8

Casquets

Ortac

Burhou

2.4

ALDERNEY

3.8

3.4

3.2

2.4

4.2

4.4

Cap de la Hague

1.4

1.8

2.4

1.6

1.0

The Shambles

Pierre au Vraic

2.4

2.4

1.4

1.0

1.0

0.6

0.4

0,5 m.

1.6

1.8

Falling quickly

2.2

2.4

1.4

1.0

0.6

Cherbourg

Inshore passage westwards

0   1   2
Nm

Alderney and Cherbourg

0 1 2 3 4 5 6 7 8 9 10 Nautical miles

Portland Bill

+4

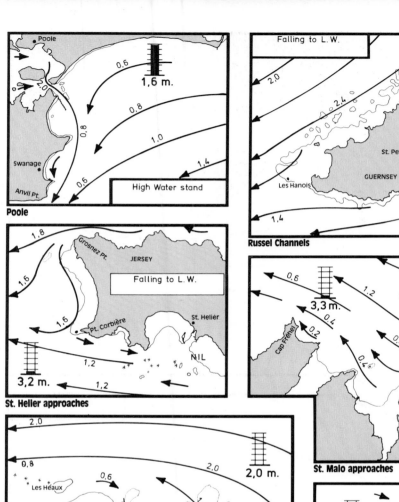

Poole — 1,6 m. — High Water stand

St. Helier approaches — 3,2 m. — JERSEY — Falling to L.W.

Île de Brehat — 2,0 m. — Low Water

Russel Channels — 2,6 m — GUERNSEY — Falling to L.W. — St. Peter Port, Herm, Sark, Les Hanois

St. Malo approaches — 3,3 m. — Falling to L.W. — Cap Fréhel, Le Vieux Banc, Cézembre, St. Malo, Dinard

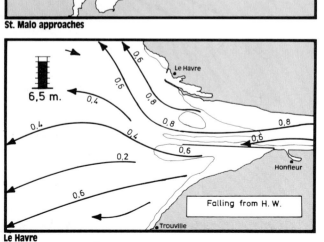

Le Havre — 6,5 m. — Falling from H.W. — Honfleur, Trouville

Nautical Miles 0 1 2 3 4 5 6 7 8 9 10

Stream Rate Conversion Table

Mean Rate Figure from Chart	Pencil-in height of HW Cherbourg — Read from column below pencil mark										
	4.8	5.0	5.2	5.4	5.6	5.8	6.0	6.2	6.4	6.6	6.8
0.2	0.1	0.1	0.1	0.1	0.2	0.2	0.2	0.2	0.3	0.3	0.3
0.4	0.2	0.2	0.2	0.3	0.3	0.4	0.4	0.5	0.5	0.6	0.6
0.6	0.2	0.3	0.4	0.4	0.5	0.6	0.7	0.7	0.8	0.9	1.0
0.8	0.4	0.4	0.5	0.6	0.7	0.8	0.9	1.0	1.1	1.1	1.3
1.0	0.4	0.5	0.6	0.7	0.9	1.0	1.1	1.2	1.3	1.4	1.7
1.2	0.5	0.6	0.7	0.9	1.0	1.2	1.3	1.4	1.6	1.9	2.0
1.4	0.6	0.7	0.9	1.0	1.2	1.4	1.5	1.7	1.8	2.2	2.3
1.6	0.6	0.8	1.0	1.2	1.4	1.6	1.7	1.9	2.1	2.5	2.7
1.8	0.7	0.9	1.1	1.3	1.5	1.7	2.0	2.2	2.4	2.8	3.0
2.0	0.8	1.0	1.2	1.5	1.7	1.9	2.2	2.4	2.6	3.1	3.3
2.2	0.9	1.1	1.4	1.6	1.9	2.1	2.3	2.6	2.9	3.4	3.7
2.4	0.9	1.2	1.5	1.8	2.1	2.3	2.6	2.9	3.2	3.7	4.0
2.6	1.0	1.3	1.6	1.9	2.2	2.5	2.8	3.1	3.4	4.0	4.3
2.8	1.1	1.4	1.7	2.1	2.4	2.7	3.0	3.4	3.7	4.3	4.7
3.0	1.2	1.5	1.9	2.2	2.6	2.9	3.2	3.6	4.0	4.6	5.0
3.2	1.3	1.6	2.0	2.4	2.7	3.1	3.4	3.8	4.2	4.9	5.3
3.4	1.3	1.7	2.1	2.5	2.9	3.3	3.7	4.1	4.5	5.3	5.7
3.6	1.4	1.8	2.2	2.7	3.1	3.5	3.9	4.3	4.7	5.6	6.0
3.8	1.5	1.9	2.4	2.8	3.3	3.7	4.1	4.6	5.0	5.9	6.3
4.0	1.6	2.0	2.5	3.0	3.4	3.9	4.3	4.8	5.3	6.2	6.7
4.2	1.7	2.1	2.6	3.1	3.6	4.1	4.6	5.0	5.5	6.5	7.0
4.4	1.7	2.2	2.7	3.3	3.8	4.3	4.8	5.3	5.8	6.8	7.3
4.6	1.8	2.3	2.9	3.4	3.9	4.5	5.0	5.5	6.1	7.1	7.7
4.8	1.9	2.4	3.0	3.6	4.1	4.7	5.2	5.8	6.3	7.4	8.0
5.0	2.0	2.5	3.1	3.7	4.3	4.9	5.4	6.0	6.6	7.7	8.3
5.2	2.0	2.6	3.2	3.8	4.4	5.0	5.6	6.2	6.8	8.0	8.6
5.4	2.1	2.8	3.4	4.0	4.6	5.2	5.7	6.5	7.1	8.4	9.0
5.6	2.2	2.9	3.5	4.1	4.8	5.4	6.1	6.7	7.4	8.7	9.3
5.8	2.3	3.0	3.6	4.3	5.0	5.6	6.3	7.0	7.6	9.0	9.6
6.0	2.4	3.1	3.7	4.4	5.1	5.8	6.5	7.2	7.9	9.3	9.9

TIDAL HEIGHTS — PORTS & PLACES

Pencil-in height of HW Cherbourg ▶	4.8	5.0	5.2	5.4	5.6	5.8	6.0	6.2	6.4	6.6	6.8
Lymington (& Yarmouth approx)	2.4	2.5	2.5	2.6	2.6	2.7	2.8	2.8	2.9	3.0	3.1
Portsmouth (Chichester entrance & Cowes approx)	3.6	3.7	3.9	4.0	4.1	4.2	4.4	4.5	4.6	4.7	4.9
Cherbourg (& Omonville approx)	3.6	3.5	3.5	3.4	3.3	3.2	3.2	3.1	3.0	2.9	2.7
Braye, Alderney	3.0	2.8	2.6	2.4	2.3	2.1	1.9	1.8	1.6	1.4	1.1
Weymouth	0.9	0.8	0.8	0.7	0.6	0.5	0.4	0.3	0.2	0.2	0.1
Poole entrance	1.6	1.6	1.6	1.6	1.5	1.5	1.5	1.5	1.5	1.5	1.4
Poole Town Quay	1.8	1.8	1.8	1.8	1.8	1.8	1.7	1.7	1.6	1.6	1.6
St Peter Port & Sark	4.2	3.9	3.5	3.2	2.9	2.5	2.2	1.8	1.5	1.2	0.6
St Helier	4.8	4.5	4.1	3.8	3.5	3.2	2.8	2.5	2.2	1.9	1.3
St Malo	4.9	4.6	4.2	3.9	3.6	3.2	2.9	2.5	2.2	1.9	1.3
Lezardrieux	3.8	3.4	3.0	2.6	2.3	1.9	1.5	1.2	0.8	0.5	-0.1
Paimpol	3.8	3.4	3.0	2.6	2.2	1.9	1.5	1.1	0.7	0.4	-0.2
Le Havre	5.8	5.9	6.1	6.2	6.4	6.5	6.7	6.8	7.0	7.1	7.2

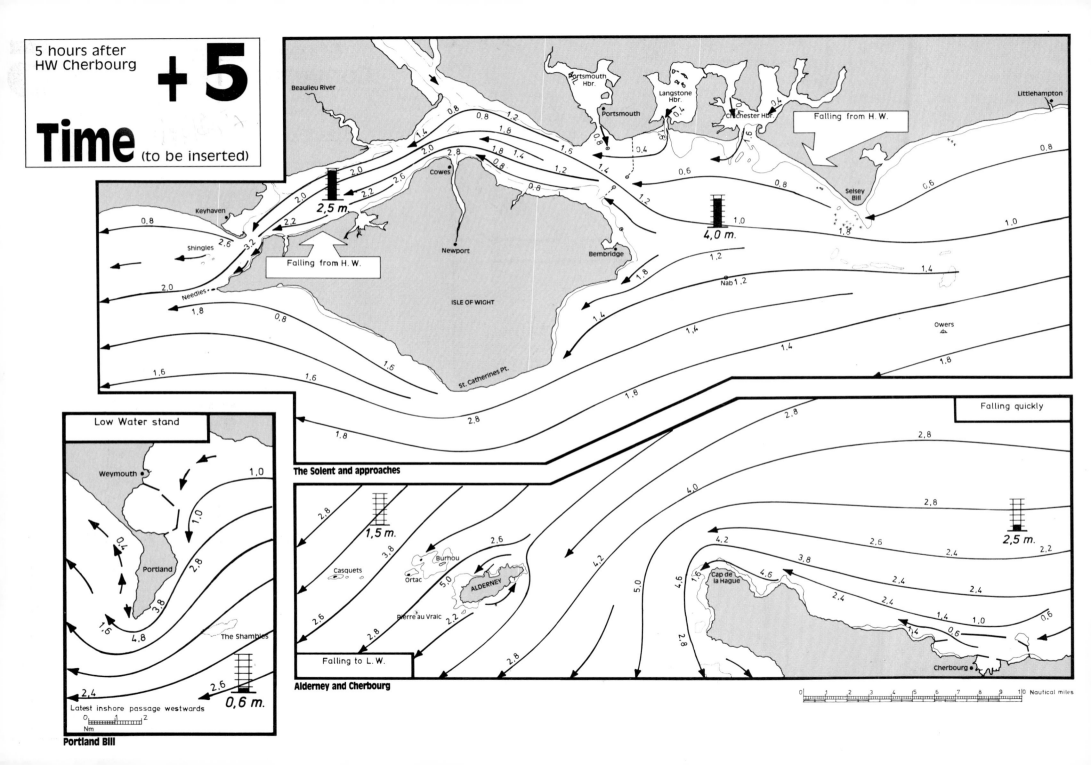

5 hours after HW Cherbourg

+5

Time (to be inserted)

Beaulieu River

Portsmouth Hbr.

Langstone Hbr.

Portsmouth

Chichester Hbr.

Littlehampton

Falling from H. W.

0.8 · 0.8 · 1.2 · 1.4 · 1.8 · 1.8 · 1.5 · 1.4 · 0.4 · 0.4 · 0.6 · 0.8 · 0.6

Cowes

2.0 · 2.8 · 1.8 · 1.4 · 1.2

2.5 m.

Keyhaven

Selsey Bill

4.0 m.

Shingles

2.6 · 3.2 · 2.2

Newport

Bembridge

1.0

1.8

Falling from H. W.

Needles

2.0 · 1.8 · 0.8

1.2 · 1.8 · 1.4

Nab 1.2

ISLE OF WIGHT

Owers

1.6 · 1.6 · 1.6 · 1.8 · 2.8 · 1.8

St. Catherines Pt.

1.4 · 1.4 · 1.4 · 1.8

Falling quickly

2.8 · 2.8 · 2.8

The Solent and approaches

Low Water stand

Weymouth

1.0

4.0

2.8 · 2.6 · 2.4 · 2.2

2.5 m.

0.4 · 1.0

Portland

2.8

Casquets

Burhou

Ortac

ALDERNEY

2.6

4.2 · 4.2

4.6 · 1.6 · 4.6

Cap de la Hague

3.8 · 4.6 · 2.4 · 2.4

3.8 · 5.0 · 2.4 · 2.4

1.6 · 4.8

The Shambles

Pierre au Vraic

2.2

5.0

1.4 · 1.0 · 0.6

2.8 · 1.4 · 0.6

0.6 m.

2.6

2.4

Falling to L. W.

2.8 · 2.8

Cherbourg

Latest inshore passage westwards

0 ‖ 1 2 Nm

Portland Bill

Alderney and Cherbourg

0 1 2 3 4 5 6 7 8 9 10 Nautical miles

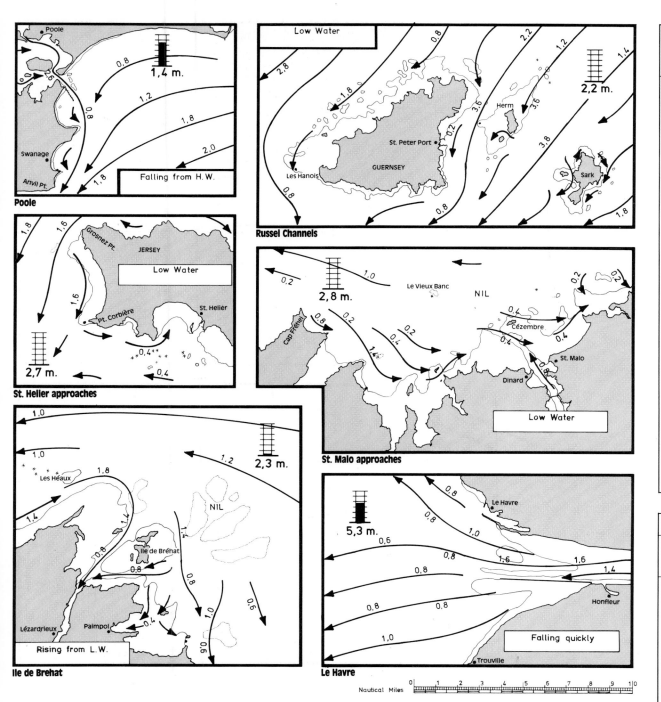

Poole — Falling from H.W. (1,4 m.)
Russel Channels — Low Water (2,2 m.) — St. Peter Port, GUERNSEY, Herm, Sark, Les Hanois
St. Helier approaches — Low Water — JERSEY, Grosnez Pt., Pt. Corbière, St. Helier (2,7 m.)
St. Malo approaches — Low Water — Le Vieux Banc, NIL, Cap Fréhel, Cézembre, St. Malo, Dinard (2,8 m.)
Ile de Brehat — Rising from L.W. — Les Héaux, NIL, Ile de Bréhat, Lézardrieux, Paimpol (2,3 m.)
Le Havre — Falling quickly — Le Havre, Honfleur, Trouville (5,3 m.)

Nautical Miles 0 1 2 3 4 5 6 7 8 9 10

Stream Rate Conversion Table

Mean Rate Figure from Chart ▼	4.8	5.0	5.2	5.4	5.6	5.8	6.0	6.2	6.4	6.6	6.8	
Pencil-in height of HW Cherbourg — Read from column below pencil mark												
0.2	0.1	0.1	0.1	0.1	0.2	0.2	0.2	0.2	0.3	0.3	0.3	0.3
0.4	0.2	0.2	0.2	0.3	0.3	0.4	0.4	0.5	0.5	0.6	0.6	0.7
0.6	0.2	0.3	0.4	0.4	0.5	0.6	0.7	0.7	0.8	0.9	0.9	1.0
0.8	0.4	0.4	0.5	0.6	0.7	0.8	0.9	1.0	1.1	1.1	1.2	1.3
1.0	0.4	0.5	0.6	0.7	0.9	1.0	1.1	1.2	1.3	1.4	1.5	1.7
1.2	0.5	0.6	0.7	0.9	1.0	1.2	1.3	1.4	1.6	1.7	1.9	2.0
1.4	0.6	0.7	0.9	1.0	1.2	1.4	1.5	1.7	1.8	2.0	2.2	2.3
1.6	0.6	0.8	1.0	1.2	1.4	1.6	1.7	1.9	2.1	2.3	2.5	2.7
1.8	0.7	0.9	1.1	1.3	1.5	1.7	2.0	2.2	2.4	2.6	2.8	3.0
2.0	0.8	1.0	1.2	1.5	1.7	1.9	2.2	2.4	2.6	2.9	3.1	3.3
2.2	0.9	1.1	1.4	1.6	1.9	2.1	2.3	2.6	2.9	3.2	3.4	3.7
2.4	0.9	1.2	1.5	1.8	2.1	2.3	2.6	2.9	3.2	3.4	3.7	4.0
2.6	1.0	1.3	1.6	1.9	2.2	2.5	2.8	3.1	3.4	3.7	4.0	4.3
2.8	1.1	1.4	1.7	2.1	2.4	2.7	3.0	3.4	3.7	4.0	4.3	4.7
3.0	1.2	1.5	1.9	2.2	2.6	2.9	3.2	3.6	4.0	4.3	4.6	5.0
3.2	1.3	1.6	2.0	2.4	2.7	3.1	3.4	3.8	4.2	4.6	4.9	5.3
3.4	1.3	1.7	2.1	2.5	2.9	3.3	3.7	4.1	4.5	4.9	5.3	5.7
3.6	1.4	1.8	2.2	2.7	3.1	3.5	3.9	4.3	4.7	5.2	5.6	6.0
3.8	1.5	1.9	2.4	2.8	3.3	3.7	4.1	4.6	5.0	5.4	5.9	6.3
4.0	1.6	2.0	2.5	3.0	3.4	3.9	4.3	4.8	5.3	5.7	6.2	6.7
4.2	1.7	2.1	2.6	3.1	3.6	4.1	4.6	5.0	5.5	6.0	6.5	7.0
4.4	1.7	2.2	2.7	3.3	3.8	4.3	4.8	5.3	5.8	6.3	6.8	7.3
4.6	1.8	2.3	2.9	3.4	3.9	4.5	5.0	5.5	6.1	6.6	7.1	7.7
4.8	1.9	2.4	3.0	3.6	4.1	4.7	5.2	5.8	6.3	6.9	7.4	8.0
5.0	2.0	2.5	3.1	3.7	4.3	4.9	5.4	6.0	6.6	7.2	7.7	8.3
5.2	2.0	2.6	3.2	3.8	4.4	5.0	5.6	6.2	6.8	7.4	8.0	8.6
5.4	2.1	2.8	3.4	4.0	4.6	5.2	5.7	6.5	7.1	7.7	8.4	9.0
5.6	2.2	2.9	3.5	4.1	4.8	5.4	6.1	6.7	7.4	8.0	8.7	9.3
5.8	2.3	3.0	3.6	4.3	5.0	5.6	6.3	7.0	7.6	8.3	9.0	9.6
6.0	2.4	3.1	3.7	4.4	5.1	5.8	6.5	7.2	7.9	8.6	9.3	9.9

TIDAL HEIGHTS — PORTS & PLACES

Pencil-in height of HW Cherbourg ▶	4.8	5.0	5.2	5.4	5.6	5.8	6.0	6.2	6.4	6.6	6.8	
Lymington (& Yarmouth approx)	2.3	2.4	2.4	2.5	2.5	2.6	2.7	2.7	2.8	2.9	2.9	3.0
Portsmouth (Chichester entrance & Cowes approx)	3.4	3.5	3.7	3.8	3.9	4.0	4.2	4.3	4.4	4.5	4.5	4.6
Cherbourg (& Omonville approx)	3.2	3.1	2.9	2.8	2.6	2.5	2.3	2.2	2.0	1.8	1.7	1.5
Braye, Alderney	2.6	2.4	2.2	2.0	1.7	1.5	1.3	1.0	0.8	0.6	0.5	0.3
Weymouth	1.0	0.9	0.9	0.8	0.7	0.6	0.6	0.5	0.4	0.4	0.3	0.3
Poole entrance	1.5	1.5	1.5	1.5	1.5	1.5	1.5	1.5	1.5	1.5	1.4	1.4
Poole Town Quay	1.8	1.8	1.8	1.8	1.8	1.8	1.8	1.7	1.7	1.7	1.7	1.7
St Peter Port & Sark	4.1	3.7	3.3	2.9	2.5	2.2	1.8	1.4	1.0	0.7	0.3	0.0
St Helier	4.7	4.3	3.9	3.5	3.0	2.6	2.2	1.7	1.3	1.0	0.6	0.3
St Malo	5.0	4.5	4.1	3.6	3.2	2.7	2.3	1.8	1.4	1.1	0.7	0.4
Lezardrieux	3.9	3.6	3.2	2.9	2.6	2.3	1.9	1.6	1.3	1.0	0.7	0.4
Paimpol	3.9	3.5	3.1	2.7	2.3	1.8	1.4	1.0	0.6	0.3	0.0	-0.4
Le Havre	5.2	5.2	5.2	5.2	5.3	5.3	5.3	5.4	5.4	5.4	5.4	5.4

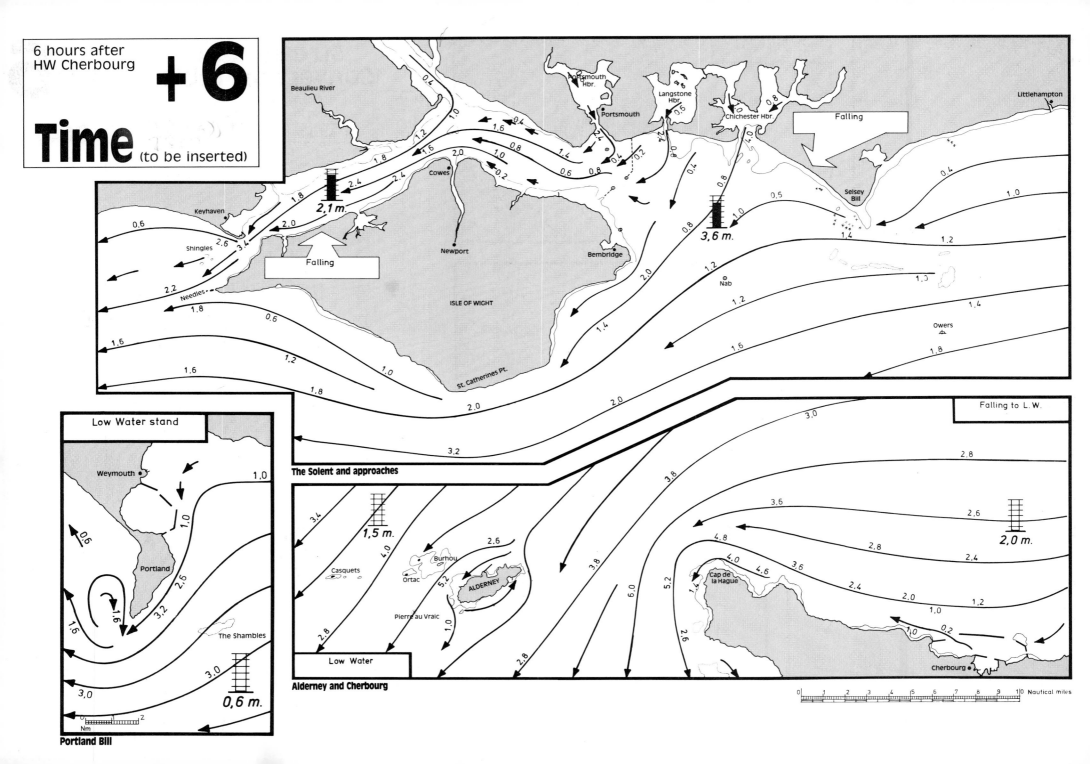

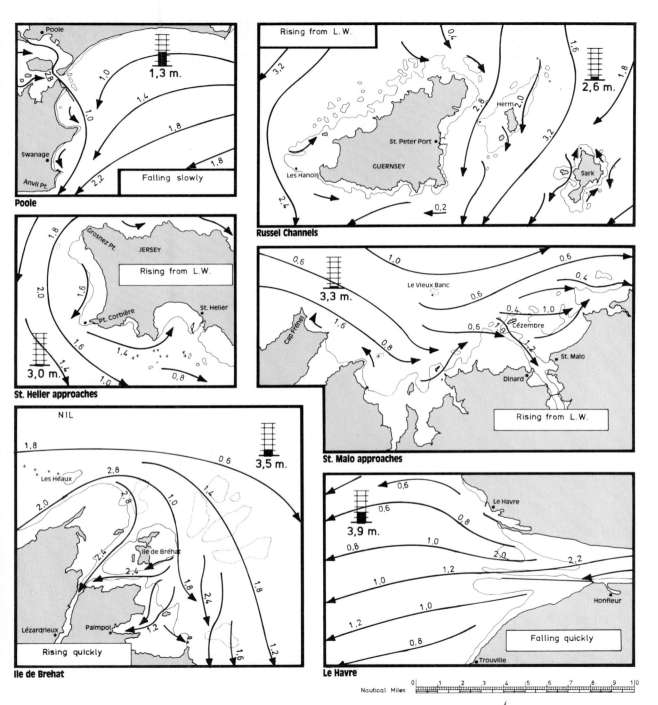

Poole — Falling slowly — 1,3 m.

Russel Channels — Rising from L.W. — 2,6 m. (Guernsey, St. Peter Port, Les Hanois, Herm, Sark)

St. Helier approaches — Rising from L.W. — JERSEY (Grosnez Pt., Pt. Corbière, St. Helier) — 3,0 m.

St. Malo approaches — Rising from L.W. — 3,3 m. (Le Vieux Banc, Cap Fréhel, Cézembre, St. Malo, Dinard) — 3,5 m.

Ile de Brehat — NIL — Rising quickly (Les Héaux, Île de Bréhat, Lézardrieux, Paimpol)

Le Havre — Falling quickly — 3,9 m. (Le Havre, Honfleur, Trouville)

Nautical Miles 0 1 2 3 4 5 6 7 8 9 10

Stream Rate Conversion Table

Mean Rate Figure from Chart ▼	Pencil-in height of HW Cherbourg — Read from column below pencil mark											
	4.6	4.8	5.0	5.2	5.4	5.6	5.8	6.0	6.2	6.4	6.6	6.8
0.2	0.1	0.1	0.1	0.1	0.2	0.2	0.2	0.2	0.3	0.3	0.3	0.3
0.4	0.2	0.2	0.2	0.3	0.3	0.4	0.4	0.5	0.5	0.6	0.6	0.7
0.6	0.2	0.3	0.4	0.4	0.5	0.6	0.7	0.7	0.8	0.9	0.9	1.0
0.8	0.4	0.4	0.5	0.6	0.7	0.8	0.9	1.0	1.1	1.1	1.2	1.3
1.0	0.4	0.5	0.6	0.7	0.9	1.0	1.1	1.2	1.3	1.4	1.5	1.7
1.2	0.5	0.6	0.7	0.9	1.1	1.2	1.3	1.4	1.6	1.7	1.9	2.0
1.4	0.6	0.7	0.9	1.0	1.2	1.4	1.5	1.7	1.8	2.0	2.2	2.3
1.6	0.6	0.8	1.0	1.2	1.4	1.6	1.7	1.9	2.1	2.3	2.5	2.7
1.8	0.7	0.9	1.1	1.3	1.5	1.7	2.0	2.2	2.4	2.6	2.8	3.0
2.0	0.8	1.0	1.2	1.5	1.7	1.9	2.2	2.4	2.6	2.9	3.1	3.3
2.2	0.9	1.1	1.4	1.6	1.9	2.1	2.3	2.6	2.9	3.2	3.4	3.7
2.4	0.9	1.2	1.5	1.8	2.1	2.3	2.6	2.9	3.2	3.4	3.7	4.0
2.6	1.0	1.3	1.6	1.9	2.2	2.5	2.8	3.1	3.4	3.7	4.0	4.3
2.8	1.1	1.4	1.7	2.1	2.4	2.7	3.0	3.4	3.7	4.0	4.3	4.7
3.0	1.2	1.5	1.9	2.2	2.6	2.9	3.2	3.6	4.0	4.3	4.6	5.0
3.2	1.3	1.6	2.0	2.4	2.7	3.1	3.4	3.8	4.2	4.6	4.9	5.3
3.4	1.3	1.7	2.1	2.5	2.9	3.3	3.7	4.1	4.5	4.9	5.3	5.7
3.6	1.4	1.8	2.2	2.7	3.1	3.5	3.9	4.3	4.7	5.2	5.6	6.0
3.8	1.5	1.9	2.4	2.8	3.3	3.7	4.1	4.6	5.0	5.4	5.9	6.3
4.0	1.6	2.0	2.5	3.0	3.4	3.9	4.3	4.8	5.3	5.7	6.2	6.7
4.2	1.7	2.1	2.6	3.1	3.6	4.1	4.6	5.0	5.5	6.0	6.5	7.0
4.4	1.7	2.2	2.7	3.3	3.8	4.3	4.8	5.3	5.8	6.3	6.8	7.3
4.6	1.8	2.3	2.9	3.4	3.9	4.5	5.0	5.5	6.1	6.6	7.1	7.6
4.8	1.9	2.4	3.0	3.6	4.1	4.7	5.2	5.8	6.3	6.9	7.4	8.0
5.0	2.0	2.5	3.1	3.7	4.3	4.9	5.4	6.0	6.6	7.2	7.7	8.3
5.2	2.0	2.6	3.2	3.8	4.4	5.0	5.6	6.2	6.8	7.4	8.0	8.6
5.4	2.1	2.8	3.4	4.0	4.6	5.2	5.7	6.5	7.1	7.7	8.4	9.0
5.6	2.2	2.9	3.5	4.1	4.8	5.4	6.1	6.7	7.4	8.0	8.7	9.3
5.8	2.3	3.0	3.6	4.3	5.0	5.6	6.3	7.0	7.6	8.3	9.0	9.6
6.0	2.4	3.1	3.7	4.4	5.1	5.8	6.5	7.2	7.9	8.6	9.3	9.9

TIDAL HEIGHTS — PORTS & PLACES

Pencil-in height of HW Cherbourg ▶	4.6	4.8	5.0	5.2	5.4	5.6	5.8	6.0	6.2	6.4	6.6	6.8
Lymington (& Yarmouth approx)	2.2	2.2	2.2	2.2	2.3	2.3	2.3	2.4	2.4	2.4	2.5	2.5
Portsmouth (Chichester entrance & Cowes approx)	3.2	3.3	3.3	3.4	3.5	3.6	3.7	3.8	3.9	4.0	4.0	4.1
Cherbourg (& Omonville approx)	3.0	2.8	2.6	2.4	2.2	1.9	1.7	1.5	1.3	1.1	0.8	0.6
Braye, Alderney	2.6	2.4	2.2	2.0	1.7	1.5	1.3	1.0	0.8	0.6	0.4	0.2
Weymouth	1.0	0.9	0.9	0.8	0.7	0.6	0.5	0.4	0.3	0.3	0.3	0.3
Poole entrance	1.4	1.4	1.4	1.4	1.3	1.3	1.2	1.2	1.1	1.0	1.0	0.9
Poole Town Quay	1.6	1.6	1.6	1.6	1.6	1.6	1.6	1.5	1.5	1.5	1.5	1.5
St Peter Port & Sark	4.2	3.9	3.5	3.2	2.9	2.5	2.2	1.8	1.5	1.2	1.0	0.8
St Helier	4.8	4.4	4.0	3.6	3.3	2.9	2.5	2.2	1.8	1.5	1.0	0.8
St Malo	5.6	5.1	4.7	4.2	3.7	3.2	2.7	2.2	1.7	1.4	1.1	0.8
Lezardrieux	4.5	4.3	4.1	3.9	3.6	3.4	3.1	2.9	2.7	2.5	2.3	2.1
Paimpol	4.5	4.2	3.8	3.5	3.2	2.9	2.5	2.2	1.9	1.6	1.4	1.1
Le Havre	4.2	4.1	4.1	4.0	3.9	3.9	3.8	3.8	3.7	3.6	3.5	3.4

Section 2

The Scilly Isles
Ile d'Ouessant and Chenal du Four

ILE D'OUESSANT AND CHENAL DU FOUR

The channels between Ile d'Ouessant and the mainland are beset with dangers and with strong and sometimes violent streams, particularly when wind is opposed to tide. The Passage du Fromveur on the south-eastern side of Ile d'Ouessant has very fast streams, attaining 8 or 9 knots at maximum springs, and the seas can be very turbulent. The Chenal du Four, close to the mainland, is the usual passage for yachtsmen. All the other channels between the Passage du Fromveur and Chenal du Four should only be attempted with local knowledge and in good weather. Winds from a northerly quarter substantially increase the velocity of the south-going ebb streams through all these channels.

6 hours before HW Cherbourg **-6**

Time (to be inserted)

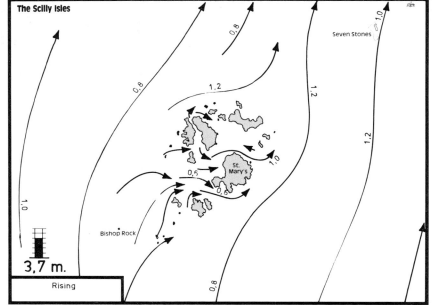

The Scilly Isles

Seven Stones

St. Mary's

Bishop Rock

3,7 m.

Rising

0   5
Nautical Miles

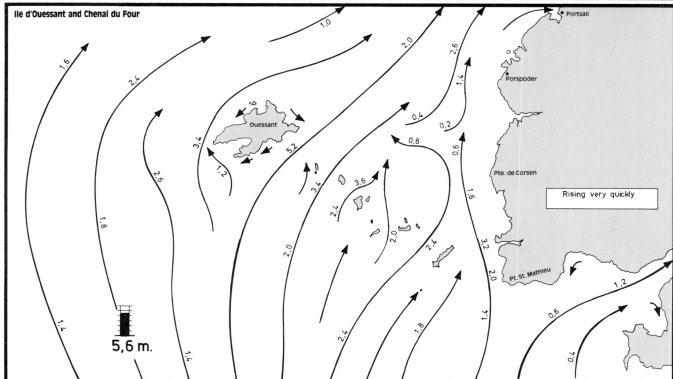

Ile d'Ouessant and Chenal du Four

Portsall

Porspoder

Ouessant

Pte. de Corsen

Rising very quickly

Pt. St. Mathieu

5,6 m.

Stream Rate Conversion Table

Mean Rate Figure from Chart ▼	Pencil-in height of HW Cherbourg Read from column below pencil mark											
	4.8	5.0	5.2	5.4	5.6	5.8	6.0	6.2	6.4	6.6	6.8	
0.2	0.1	0.1	0.1	0.1	0.2	0.2	0.2	0.2	0.3	0.3	0.3	0.3
0.4	0.2	0.2	0.2	0.3	0.3	0.4	0.4	0.5	0.5	0.6	0.6	0.7
0.6	0.2	0.3	0.4	0.4	0.5	0.6	0.7	0.7	0.8	0.9	0.9	1.0
0.8	0.4	0.4	0.5	0.6	0.7	0.8	0.9	1.0	1.1	1.1	1.2	1.3
1.0	0.4	0.5	0.6	0.7	0.9	1.0	1.1	1.2	1.3	1.4	1.5	1.7
1.2	0.5	0.6	0.7	0.9	1.0	1.2	1.3	1.4	1.6	1.7	1.9	2.0
1.4	0.6	0.7	0.9	1.0	1.2	1.4	1.5	1.7	1.8	2.0	2.2	2.3
1.6	0.6	0.8	1.0	1.2	1.4	1.6	1.7	1.9	2.1	2.3	2.5	2.7
1.8	0.7	0.9	1.1	1.3	1.5	1.7	2.0	2.2	2.4	2.6	2.8	3.0
2.0	0.8	1.0	1.2	1.5	1.7	1.9	2.2	2.4	2.6	2.9	3.1	3.3
2.2	0.9	1.1	1.4	1.6	1.9	2.1	2.3	2.6	2.9	3.2	3.4	3.7
2.4	0.9	1.2	1.5	1.8	2.1	2.3	2.6	2.9	3.2	3.4	3.7	4.0
2.6	1.0	1.3	1.6	1.9	2.2	2.5	2.8	3.1	3.4	3.7	4.0	4.3
2.8	1.1	1.4	1.7	2.1	2.4	2.7	3.0	3.4	3.7	4.0	4.3	4.7
3.0	1.2	1.5	1.9	2.2	2.6	2.9	3.2	3.6	4.0	4.3	4.6	5.0
3.2	1.3	1.6	2.0	2.4	2.7	3.1	3.4	3.8	4.2	4.6	4.9	5.3
3.4	1.3	1.7	2.1	2.5	2.9	3.3	3.7	4.1	4.5	4.9	5.3	5.7
3.6	1.4	1.8	2.2	2.7	3.1	3.5	3.9	4.3	4.7	5.2	5.6	6.0
3.8	1.5	1.9	2.4	2.8	3.3	3.7	4.1	4.6	5.0	5.5	5.9	6.3
4.0	1.6	2.0	2.5	3.0	3.4	3.9	4.3	4.8	5.3	5.7	6.2	6.7
4.2	1.7	2.1	2.6	3.1	3.6	4.1	4.6	5.0	5.5	6.0	6.5	7.0
4.4	1.7	2.2	2.7	3.3	3.8	4.3	4.8	5.3	5.8	6.3	6.8	7.3
4.6	1.8	2.3	2.9	3.4	3.9	4.5	5.0	5.5	6.1	6.6	7.1	7.7
4.8	1.9	2.4	3.0	3.6	4.1	4.7	5.2	5.8	6.3	6.9	7.4	8.0
5.0	2.0	2.5	3.1	3.7	4.3	4.9	5.4	6.0	6.6	7.2	7.7	8.3
5.2	2.0	2.6	3.2	3.8	4.4	5.0	5.6	6.2	6.8	7.4	8.0	8.6
5.4	2.1	2.8	3.4	4.0	4.6	5.2	5.7	6.5	7.1	7.7	8.4	9.0
5.6	2.2	2.9	3.5	4.1	4.8	5.4	6.1	6.7	7.4	8.0	8.7	9.3
5.8	2.3	3.0	3.6	4.3	5.0	5.6	6.3	7.0	7.6	8.3	9.0	9.6
6.0	2.4	3.1	3.7	4.4	5.1	5.8	6.5	7.2	7.9	8.6	9.3	9.9

TIDAL HEIGHTS — PORTS & PLACES

Pencil-in height of HW Cherbourg ▶	4.8	5.0	5.2	5.4	5.6	5.8	6.0	6.2	6.4	6.6	6.8
St. Marys	3.5	3.6	3.6	3.7	3.8	3.9	3.9	4.0	4.1	4.2	4.4	4.4
Ports, Chenal du Four and Ile d'Ouessant	4.8	4.9	5.1	5.2	5.3	5.5	5.6	5.8	5.9	6.0	6.0	6.1

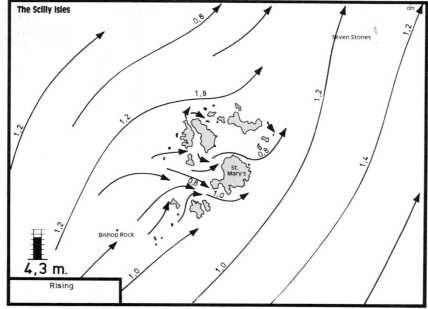

The Scilly Isles

Seven Stones

St. Mary's

Bishop Rock

4,3 m.

Rising

0   Nautical Miles   5

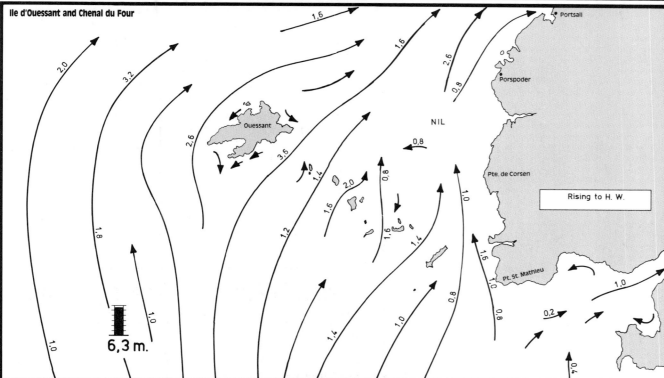

Ile d'Ouessant and Chenal du Four

Portsall

Porspoder

Ouessant

NIL

Pte. de Corsen

Rising to H. W.

Pt. St. Mathieu

6,3 m.

Stream Rate Conversion Table

Mean Rate Figure from Chart ▼	Pencil-in height of HW Cherbourg Read from column below pencil mark										
	4.8	5.0	5.2	5.4	5.6	5.8	6.0	6.2	6.4	6.6	6.8
0.2	0.1	0.1	0.1	0.1	0.2	0.2	0.2	0.2	0.3	0.3	0.3	0.3
0.4	0.2	0.2	0.2	0.3	0.3	0.4	0.4	0.5	0.5	0.6	0.6	0.7
0.6	0.2	0.3	0.4	0.4	0.5	0.6	0.7	0.7	0.8	0.9	0.9	1.0
0.8	0.4	0.4	0.5	0.6	0.7	0.8	0.9	1.0	1.1	1.1	1.2	1.3
1.0	0.4	0.5	0.6	0.7	0.9	1.0	1.1	1.2	1.3	1.4	1.5	1.7
1.2	0.5	0.6	0.7	0.9	1.0	1.2	1.3	1.4	1.6	1.7	1.9	2.0
1.4	0.6	0.7	0.9	1.0	1.2	1.4	1.5	1.7	1.8	2.0	2.2	2.3
1.6	0.6	0.8	1.0	1.2	1.4	1.6	1.7	1.9	2.1	2.3	2.5	2.7
1.8	0.7	0.9	1.1	1.3	1.5	1.7	2.0	2.2	2.4	2.6	2.8	3.0
2.0	0.8	1.0	1.2	1.5	1.7	1.9	2.2	2.4	2.6	2.9	3.1	3.3
2.2	0.9	1.1	1.4	1.6	1.9	2.1	2.3	2.6	2.9	3.2	3.4	3.7
2.4	0.9	1.2	1.5	1.8	2.1	2.3	2.6	2.9	3.2	3.4	3.7	4.0
2.6	1.0	1.3	1.6	1.9	2.2	2.5	2.8	3.1	3.4	3.7	4.0	4.3
2.8	1.1	1.4	1.7	2.1	2.4	2.7	3.0	3.4	3.7	4.0	4.3	4.7
3.0	1.2	1.5	1.9	2.2	2.6	2.9	3.2	3.6	4.0	4.3	4.6	5.0
3.2	1.3	1.6	2.0	2.4	2.7	3.1	3.4	3.8	4.2	4.6	4.9	5.3
3.4	1.3	1.7	2.1	2.5	2.9	3.3	3.7	4.1	4.5	4.9	5.3	5.7
3.6	1.4	1.8	2.2	2.7	3.1	3.5	3.9	4.3	4.7	5.2	5.6	6.0
3.8	1.5	1.9	2.4	2.8	3.3	3.7	4.1	4.6	5.0	5.5	5.9	6.3
4.0	1.6	2.0	2.5	3.0	3.4	3.9	4.3	4.8	5.3	5.7	6.2	6.7
4.2	1.7	2.1	2.6	3.1	3.6	4.1	4.6	5.0	5.5	6.0	6.5	7.0
4.4	1.7	2.2	2.7	3.3	3.8	4.3	4.8	5.3	5.8	6.3	6.8	7.3
4.6	1.8	2.3	2.9	3.4	3.9	4.5	5.0	5.5	6.1	6.6	7.1	7.7
4.8	1.9	2.4	3.0	3.6	4.1	4.7	5.2	5.8	6.3	6.9	7.4	8.0
5.0	2.0	2.5	3.1	3.7	4.3	4.9	5.4	6.0	6.6	7.2	7.7	8.3
5.2	2.0	2.6	3.2	3.8	4.4	5.0	5.6	6.2	6.8	7.4	8.0	8.6
5.4	2.1	2.8	3.4	4.0	4.6	5.2	5.7	6.5	7.1	7.7	8.4	9.0
5.6	2.2	2.9	3.5	4.1	4.8	5.4	6.1	6.7	7.4	8.0	8.7	9.3
5.8	2.3	3.0	3.6	4.3	5.0	5.6	6.3	7.0	7.6	8.3	9.0	9.6
6.0	2.4	3.1	3.7	4.4	5.1	5.8	6.5	7.2	7.9	8.6	9.3	9.9

TIDAL HEIGHTS — PORTS & PLACES

Pencil-in height of HW Cherbourg ▶	4.8	5.0	5.2	5.4	5.6	5.8	6.0	6.2	6.4	6.6	6.8
St. Marys	3.6	3.8	4.0	4.2	4.3	4.5	4.7	4.8	5.0	5.1	5.3	5.4
Ports, Chenal du Four and Ile d'Ouessant	5.2	5.4	5.6	5.8	6.1	6.3	6.5	6.8	7.0	7.1	7.3	7.4

Time (to be inserted)

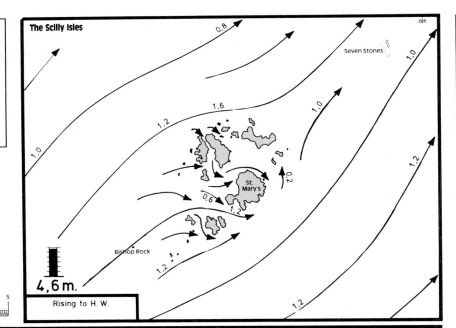

The Scilly Isles

Seven Stones

0.8

1.0

1.2

1.6

1.0

1.0

1.0

St. Mary's

0.2

0.6

1.2

1.2

1.2

1.2

Bishop Rock

4,6 m.

Rising to H. W.

0   5
Nautical Miles

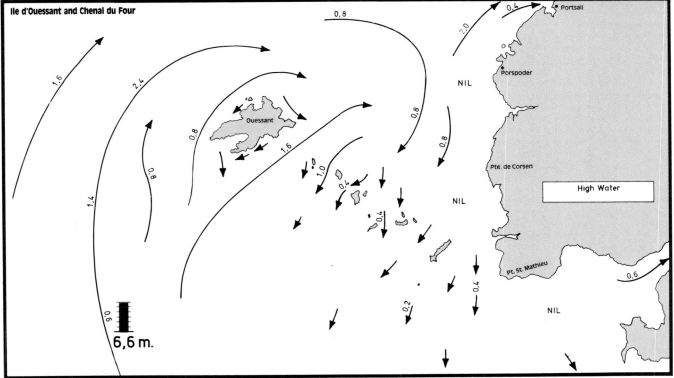

Ile d'Ouessant and Chenal du Four

Portsall
0.4

0.8

2.0

NIL

Porspoder

1.6

2.4

0.8

0.8

Ouessant

0.8

0.8

1.6

1.0

0.4

0.4

0.4

NIL

Pte. de Corsen

High Water

0.2

Pt. St. Mathieu

0.6

NIL

0.6

6,6 m.

Stream Rate Conversion Table

Mean Rate Figure from Chart ▼	Pencil-in height of HW Cherbourg Read from column below pencil mark											
	4.8	5.0	5.2	5.4	5.6	5.8	6.0	6.2	6.4	6.6	6.8	
0.2	0.1	0.1	0.1	0.1	0.2	0.2	0.2	0.2	0.3	0.3	0.3	0.3
0.4	0.2	0.2	0.2	0.3	0.3	0.4	0.4	0.5	0.5	0.6	0.6	0.7
0.6	0.2	0.3	0.4	0.4	0.5	0.6	0.7	0.7	0.8	0.9	0.9	1.0
0.8	0.4	0.4	0.5	0.6	0.7	0.8	0.9	1.0	1.1	1.1	1.2	1.3
1.0	0.4	0.5	0.6	0.7	0.9	1.0	1.1	1.2	1.3	1.4	1.5	1.7
1.2	0.5	0.6	0.7	0.9	1.0	1.2	1.3	1.4	1.6	1.7	1.9	2.0
1.4	0.6	0.7	0.9	1.0	1.2	1.4	1.5	1.7	1.8	2.0	2.2	2.3
1.6	0.6	0.8	1.0	1.2	1.4	1.6	1.7	1.9	2.1	2.3	2.5	2.7
1.8	0.7	0.9	1.1	1.3	1.5	1.7	2.0	2.2	2.4	2.6	2.8	3.0
2.0	0.8	1.0	1.2	1.5	1.7	1.9	2.2	2.4	2.6	2.9	3.1	3.3
2.2	0.9	1.1	1.4	1.6	1.9	2.1	2.3	2.6	2.9	3.2	3.4	3.7
2.4	0.9	1.2	1.5	1.8	2.1	2.3	2.6	2.9	3.2	3.4	3.7	4.0
2.6	1.0	1.3	1.6	1.9	2.2	2.5	2.8	3.1	3.4	3.7	4.0	4.3
2.8	1.1	1.4	1.7	2.1	2.4	2.7	3.0	3.4	3.7	4.0	4.3	4.7
3.0	1.2	1.5	1.9	2.2	2.6	2.9	3.2	3.6	4.0	4.3	4.6	5.0
3.2	1.3	1.6	2.0	2.4	2.7	3.1	3.4	3.8	4.2	4.6	4.9	5.3
3.4	1.3	1.7	2.1	2.5	2.9	3.3	3.7	4.1	4.5	4.9	5.3	5.7
3.6	1.4	1.8	2.2	2.7	3.1	3.5	3.9	4.3	4.7	5.2	5.6	6.0
3.8	1.5	1.9	2.4	2.8	3.3	3.7	4.1	4.6	5.0	5.5	5.9	6.3
4.0	1.6	2.0	2.5	3.0	3.4	3.9	4.3	4.8	5.3	5.7	6.2	6.7
4.2	1.7	2.1	2.6	3.1	3.6	4.1	4.6	5.0	5.5	6.0	6.5	7.0
4.4	1.7	2.2	2.7	3.3	3.8	4.3	4.8	5.3	5.8	6.3	6.8	7.3
4.6	1.8	2.3	2.9	3.4	3.9	4.5	5.0	5.5	6.1	6.6	7.1	7.7
4.8	1.9	2.4	3.0	3.6	4.1	4.7	5.2	5.8	6.3	6.9	7.4	8.0
5.0	2.0	2.5	3.1	3.7	4.3	4.9	5.4	6.0	6.6	7.2	7.7	8.3
5.2	2.0	2.6	3.2	3.8	4.4	5.0	5.6	6.2	6.8	7.4	8.0	8.6
5.4	2.1	2.8	3.4	4.0	4.6	5.2	5.7	6.5	7.1	7.7	8.4	9.0
5.6	2.2	2.9	3.5	4.1	4.8	5.4	6.1	6.7	7.4	8.0	8.7	9.3
5.8	2.3	3.0	3.6	4.3	5.0	5.6	6.3	7.0	7.6	8.3	9.0	9.6
6.0	2.4	3.1	3.7	4.4	5.1	5.8	6.5	7.2	7.9	8.6	9.3	9.9

TIDAL HEIGHTS — PORTS & PLACES

Pencil-in height of HW Cherbourg ▶	4.8	5.0	5.2	5.4	5.6	5.8	6.0	6.2	6.4	6.6	6.8
St. Marys	3.9	4.1	4.3	4.5	4.7	4.9	5.1	5.3	5.5	5.7	5.9	6.1
Ports, Chenal du Four and Ile d'Ouessant	5.3	5.6	5.8	6.1	6.3	6.6	6.8	7.1	7.3	7.5	7.6	7.8

3 hours before HW Cherbourg

-3

Time (to be inserted)

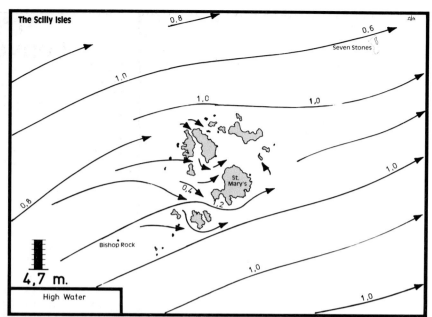

The Scilly Isles

Seven Stones

0.8

0.6

1.0

1.0

1.0

St. Mary's

0.4

1.2

0.8

Bishop Rock

1.0

1.0

4,7 m.

High Water

0 — 5
Nautical Miles

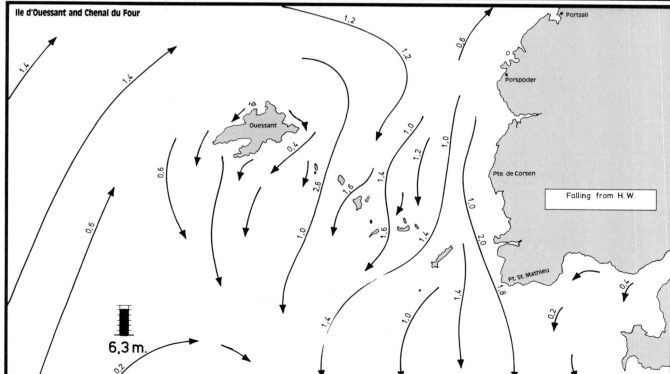

Ile d'Ouessant and Chenal du Four

Portsall

1.2

1.2

0.6

1.4

1.4

0.6

Porspoder

Ouessant

0.4

0.6

2.6

1.6

1.4

1.2

1.0

1.0

Pte. de Corsen

1.6

1.4

Falling from H.W.

0.6

1.0

1.0

2.0

Pt. St. Mathieu

0.4

1.8

1.4

1.4

1.0

0.2

6,3 m.

0.2

Stream Rate Conversion Table

Mean Rate Figure from Chart ▼	Pencil-in height of HW Cherbourg — Read from column below pencil mark										
	4.8	5.0	5.2	5.4	5.6	5.8	6.0	6.2	6.4	6.6	6.8
0.2	0.1	0.1	0.1	0.1	0.2	0.2	0.2	0.2	0.3	0.3	0.3	0.3
0.4	0.2	0.2	0.2	0.3	0.3	0.4	0.4	0.5	0.5	0.6	0.6	0.7
0.6	0.2	0.3	0.4	0.4	0.5	0.6	0.7	0.7	0.8	0.9	0.9	1.0
0.8	0.4	0.4	0.5	0.6	0.7	0.8	0.9	1.0	1.1	1.1	1.2	1.3
1.0	0.4	0.5	0.6	0.7	0.9	1.0	1.1	1.2	1.3	1.4	1.5	1.7
1.2	0.5	0.6	0.7	0.9	1.0	1.2	1.3	1.4	1.6	1.7	1.9	2.0
1.4	0.6	0.7	0.9	1.0	1.2	1.4	1.5	1.7	1.8	2.0	2.2	2.3
1.6	0.6	0.8	1.0	1.2	1.4	1.6	1.7	1.9	2.1	2.3	2.5	2.7
1.8	0.7	0.9	1.1	1.3	1.5	1.7	2.0	2.2	2.4	2.6	2.8	3.0
2.0	0.8	1.0	1.2	1.5	1.7	1.9	2.2	2.4	2.6	2.9	3.1	3.3
2.2	0.9	1.1	1.4	1.6	1.9	2.1	2.3	2.6	2.9	3.2	3.4	3.7
2.4	0.9	1.2	1.5	1.8	2.1	2.3	2.6	2.9	3.2	3.4	3.7	4.0
2.6	1.0	1.3	1.6	1.9	2.2	2.5	2.8	3.1	3.4	3.7	4.0	4.3
2.8	1.1	1.4	1.7	2.1	2.4	2.7	3.0	3.4	3.7	4.0	4.3	4.7
3.0	1.2	1.5	1.9	2.2	2.6	2.9	3.2	3.6	4.0	4.3	4.6	5.0
3.2	1.3	1.6	2.0	2.4	2.7	3.1	3.4	3.8	4.2	4.6	4.9	5.3
3.4	1.3	1.7	2.1	2.5	2.9	3.3	3.7	4.1	4.5	4.9	5.3	5.7
3.6	1.4	1.8	2.2	2.7	3.1	3.5	3.9	4.3	4.7	5.2	5.6	6.0
3.8	1.5	1.9	2.4	2.8	3.3	3.7	4.1	4.6	5.0	5.5	5.9	6.3
4.0	1.6	2.0	2.5	3.0	3.4	3.9	4.3	4.8	5.3	5.7	6.2	6.7
4.2	1.7	2.1	2.6	3.1	3.6	4.1	4.6	5.0	5.5	6.0	6.5	7.0
4.4	1.7	2.2	2.7	3.3	3.8	4.3	4.8	5.3	5.8	6.3	6.8	7.3
4.6	1.8	2.3	2.9	3.4	3.9	4.5	5.0	5.5	6.1	6.6	7.1	7.7
4.8	1.9	2.4	3.0	3.6	4.1	4.7	5.2	5.8	6.3	6.9	7.4	8.0
5.0	2.0	2.5	3.1	3.7	4.3	4.9	5.4	6.0	6.6	7.2	7.7	8.3
5.2	2.0	2.6	3.2	3.8	4.4	5.0	5.6	6.2	6.8	7.4	8.0	8.6
5.4	2.1	2.8	3.4	4.0	4.6	5.2	5.7	6.5	7.1	7.7	8.4	9.0
5.6	2.2	2.9	3.5	4.1	4.8	5.4	6.1	6.7	7.4	8.0	8.7	9.3
5.8	2.3	3.0	3.6	4.3	5.0	5.6	6.3	7.0	7.6	8.3	9.0	9.6
6.0	2.4	3.1	3.7	4.4	5.1	5.8	6.5	7.2	7.9	8.6	9.3	9.9

TIDAL HEIGHTS — PORTS & PLACES

Pencil-in height of HW Cherbourg ▶	4.8	5.0	5.2	5.4	5.6	5.8	6.0	6.2	6.4	6.6	6.8
St. Marys	4.0	4.2	4.4	4.6	4.8	5.1	5.3	5.5	5.7	5.9	6.1	6.3
Ports, Chenal du Four and Ile d'Ouessant	5.3	5.5	5.7	5.9	6.1	6.3	6.5	6.7	6.9	7.0	7.2	7.3

2 hours before HW Cherbourg

-2

Time (to be inserted)

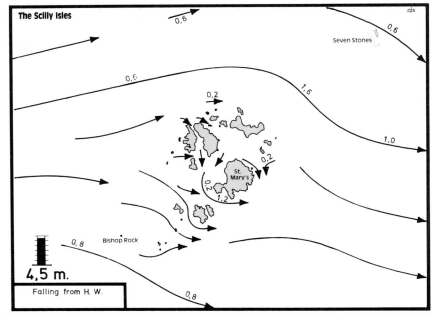

The Scilly Isles

Seven Stones

0.6

0.6

0.6

1.6

1.0

0.2

St. Mary's

0.2

0.2

1.2

0.8

Bishop Rock

4,5 m.

Falling from H. W.

0.8

0.8

0
5
Nautical Miles

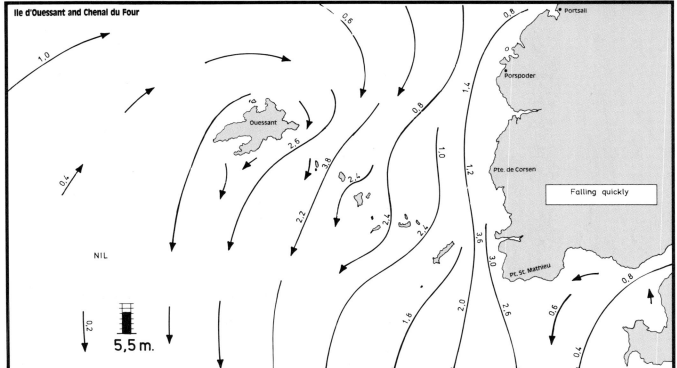

Ile d'Ouessant and Chenal du Four

Portsall

0.6

0.8

Porspoder

1.0

0.4

Ouessant

2.6

3.8

2.4

2.2

2.4

2.4

2.4

1.4

1.0

1.2

3.6

Pte. de Corsen

Falling quickly

3.6

3.0

1.8

0.2

2.6

Pt. St. Mathieu

0.8

0.6

0.4

NIL

0.2

5,5 m.

Stream Rate Conversion Table

Mean Rate Figure from Chart ▼	Pencil-in height of HW Cherbourg — Read from column below pencil mark											
	4.8	5.0	5.2	5.4	5.6	5.8	6.0	6.2	6.4	6.6	6.8	
0.2	0.1	0.1	0.1	0.1	0.2	0.2	0.2	0.2	0.3	0.3	0.3	0.3
0.4	0.2	0.2	0.2	0.3	0.3	0.4	0.4	0.5	0.5	0.6	0.6	0.7
0.6	0.2	0.3	0.4	0.4	0.5	0.6	0.7	0.7	0.8	0.9	0.9	1.0
0.8	0.4	0.4	0.5	0.6	0.7	0.8	0.9	1.0	1.1	1.1	1.2	1.3
1.0	0.4	0.5	0.6	0.7	0.9	1.0	1.1	1.2	1.3	1.4	1.5	1.7
1.2	0.5	0.6	0.7	0.9	1.0	1.2	1.3	1.4	1.6	1.7	1.9	2.0
1.4	0.6	0.7	0.9	1.0	1.2	1.4	1.5	1.7	1.8	2.0	2.2	2.3
1.6	0.6	0.8	1.0	1.2	1.4	1.6	1.7	1.9	2.1	2.3	2.5	2.7
1.8	0.7	0.9	1.1	1.3	1.5	1.7	2.0	2.2	2.4	2.6	2.8	3.0
2.0	0.8	1.0	1.2	1.5	1.7	1.9	2.2	2.4	2.6	2.9	3.1	3.3
2.2	0.9	1.1	1.4	1.6	1.9	2.1	2.3	2.6	2.9	3.2	3.4	3.7
2.4	0.9	1.2	1.5	1.8	2.1	2.3	2.6	2.9	3.2	3.4	3.7	4.0
2.6	1.0	1.3	1.6	1.9	2.2	2.5	2.8	3.1	3.4	3.7	4.0	4.3
2.8	1.1	1.4	1.7	2.1	2.4	2.7	3.0	3.4	3.7	4.0	4.3	4.7
3.0	1.2	1.5	1.9	2.2	2.6	2.9	3.2	3.6	4.0	4.3	4.6	5.0
3.2	1.3	1.6	2.0	2.4	2.7	3.1	3.4	3.8	4.2	4.6	4.9	5.3
3.4	1.3	1.7	2.1	2.5	2.9	3.3	3.7	4.1	4.5	4.9	5.3	5.7
3.6	1.4	1.8	2.2	2.7	3.1	3.5	3.9	4.3	4.7	5.2	5.6	6.0
3.8	1.5	1.9	2.4	2.8	3.3	3.7	4.1	4.6	5.0	5.5	5.9	6.3
4.0	1.6	2.0	2.5	3.0	3.4	3.9	4.3	4.8	5.3	5.7	6.2	6.7
4.2	1.7	2.1	2.6	3.1	3.6	4.1	4.6	5.0	5.5	6.0	6.5	7.0
4.4	1.7	2.2	2.7	3.3	3.8	4.3	4.8	5.3	5.8	6.3	6.8	7.3
4.6	1.8	2.3	2.9	3.4	3.9	4.5	5.0	5.5	6.1	6.6	7.1	7.7
4.8	1.9	2.4	3.0	3.6	4.1	4.7	5.2	5.8	6.3	6.9	7.4	8.0
5.0	2.0	2.5	3.1	3.7	4.3	4.9	5.4	6.0	6.6	7.2	7.7	8.3
5.2	2.0	2.6	3.2	3.8	4.4	5.0	5.6	6.2	6.8	7.4	8.0	8.6
5.4	2.1	2.8	3.4	4.0	4.6	5.2	5.7	6.5	7.1	7.7	8.4	9.0
5.6	2.2	2.9	3.5	4.1	4.8	5.4	6.1	6.7	7.4	8.0	8.7	9.3
5.8	2.3	3.0	3.6	4.3	5.0	5.6	6.3	7.0	7.6	8.3	9.0	9.6
6.0	2.4	3.1	3.7	4.4	5.1	5.8	6.5	7.2	7.9	8.6	9.3	9.9

TIDAL HEIGHTS — PORTS & PLACES

Pencil-in height of HW Cherbourg ▶	4.8	5.0	5.2	5.4	5.6	5.8	6.0	6.2	6.4	6.6	6.8
St. Marys	3.8	4.0	4.2	4.4	4.6	4.7	4.9	5.1	5.3	5.5	5.7	5.9
Ports, Chenal du Four and Ile d'Ouessant	4.8	4.9	5.1	5.2	5.3	5.5	5.6	5.7	5.8	5.9	5.9	6.0

1 hour before HW Cherbourg

-1

Time (to be inserted)

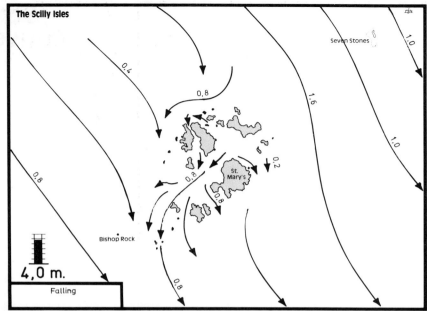

The Scilly Isles

Seven Stones

St. Mary's

Bishop Rock

0.4 — 0.8 — 1.6 — 1.0 — 0.2 — 0.8

4,0 m.

Falling

0 — 5
Nautical Miles

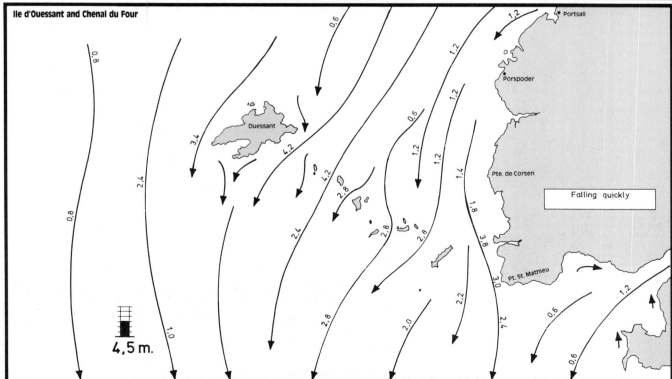

Ile d'Ouessant and Chenal du Four

Portsall

Porspoder

Ouessant

Pte. de Corsen

Falling quickly

Pt. St. Mathieu

4,5 m.

0.8 — 0.6 — 1.2 — 3.4 — 4.2 — 2.4 — 2.8 — 1.2 — 1.4 — 1.8 — 3.8 — 3.0 — 2.4 — 2.2 — 2.0 — 0.6 — 1.0 — 1.2

Stream Rate Conversion Table

Mean Rate Figure from Chart ▼	Pencil-in height of HW Cherbourg Read from column below pencil mark											
	4.8	5.0	5.2	5.4	5.6	5.8	6.0	6.2	6.4	6.6	6.8	
0.2	0.1	0.1	0.1	0.1	0.2	0.2	0.2	0.2	0.3	0.3	0.3	0.3
0.4	0.2	0.2	0.2	0.3	0.3	0.4	0.4	0.5	0.5	0.6	0.6	0.7
0.6	0.2	0.3	0.4	0.4	0.5	0.6	0.7	0.7	0.8	0.9	0.9	1.0
0.8	0.4	0.4	0.5	0.6	0.7	0.8	0.9	1.0	1.1	1.1	1.2	1.3
1.0	0.4	0.5	0.6	0.7	0.9	1.0	1.1	1.2	1.3	1.4	1.5	1.7
1.2	0.5	0.6	0.7	0.9	1.0	1.2	1.3	1.4	1.6	1.7	1.9	2.0
1.4	0.6	0.7	0.9	1.1	1.2	1.4	1.5	1.7	1.8	2.0	2.2	2.3
1.6	0.6	0.8	1.0	1.2	1.4	1.6	1.7	1.9	2.1	2.3	2.5	2.7
1.8	0.7	0.9	1.1	1.3	1.5	1.7	2.0	2.2	2.4	2.6	2.8	3.0
2.0	0.8	1.0	1.2	1.5	1.7	1.9	2.2	2.4	2.6	2.9	3.1	3.3
2.2	0.9	1.1	1.4	1.6	1.9	2.1	2.3	2.6	2.9	3.2	3.4	3.7
2.4	0.9	1.2	1.5	1.8	2.1	2.3	2.6	2.9	3.2	3.4	3.7	4.0
2.6	1.0	1.3	1.6	1.9	2.2	2.5	2.8	3.1	3.4	3.7	4.0	4.3
2.8	1.1	1.4	1.7	2.1	2.4	2.7	3.0	3.4	3.7	4.0	4.3	4.7
3.0	1.2	1.5	1.9	2.2	2.6	2.9	3.2	3.6	4.0	4.3	4.6	5.0
3.2	1.3	1.6	2.0	2.4	2.7	3.1	3.4	3.8	4.2	4.6	4.9	5.3
3.4	1.3	1.7	2.1	2.5	2.9	3.3	3.7	4.1	4.5	4.9	5.3	5.7
3.6	1.4	1.8	2.2	2.7	3.1	3.5	3.9	4.3	4.7	5.2	5.6	6.0
3.8	1.5	1.9	2.4	2.8	3.3	3.7	4.1	4.6	5.0	5.5	5.9	6.3
4.0	1.6	2.0	2.5	3.0	3.4	3.9	4.3	4.8	5.3	5.7	6.2	6.7
4.2	1.7	2.1	2.6	3.1	3.6	4.1	4.6	5.0	5.5	6.0	6.5	7.0
4.4	1.7	2.2	2.7	3.3	3.8	4.3	4.8	5.3	5.8	6.3	6.8	7.3
4.6	1.8	2.3	2.9	3.4	3.9	4.5	5.0	5.5	6.1	6.6	7.1	7.7
4.8	1.9	2.4	3.0	3.6	4.1	4.7	5.2	5.8	6.3	6.9	7.4	8.0
5.0	2.0	2.5	3.1	3.7	4.3	4.9	5.4	6.0	6.6	7.2	7.7	8.3
5.2	2.0	2.6	3.2	3.8	4.4	5.0	5.6	6.2	6.8	7.4	8.0	8.6
5.4	2.1	2.8	3.4	4.0	4.6	5.2	5.7	6.5	7.1	7.7	8.4	9.0
5.6	2.2	2.9	3.5	4.1	4.8	5.4	6.1	6.7	7.4	8.0	8.7	9.3
5.8	2.3	3.0	3.6	4.3	5.0	5.6	6.3	7.0	7.6	8.3	9.0	9.6
6.0	2.4	3.1	3.7	4.4	5.1	5.8	6.5	7.2	7.9	8.6	9.3	9.9

TIDAL HEIGHTS — PORTS & PLACES

Pencil-in height of HW Cherbourg ▶	4.8	5.0	5.2	5.4	5.6	5.8	6.0	6.2	6.4	6.6	6.8
St. Marys	3.5	3.6	3.8	3.9	4.1	4.2	4.4	4.5	4.7	4.8	5.0	5.1
Ports, Chenal du Four and Ile d'Ouessant	4.4	4.4	4.4	4.4	4.4	4.5	4.5	4.5	4.5	4.5	4.4	4.4

HW Cherbourg

HW

Time (to be inserted)

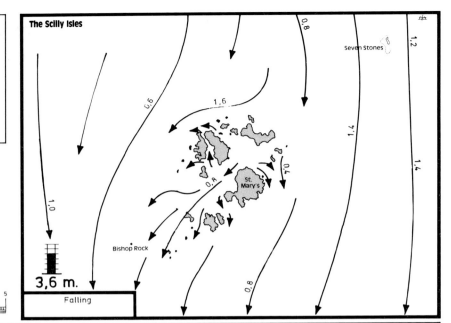

The Scilly Isles

Seven Stones

St. Mary's

Bishop Rock

3,6 m.

Falling

0   Nautical Miles   5

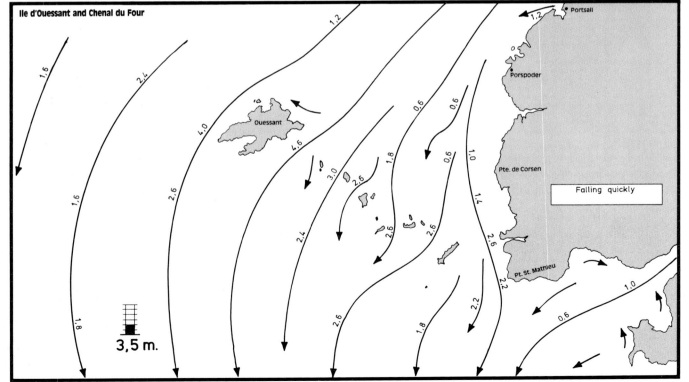

Ile d'Ouessant and Chenal du Four

Portsall

Porspoder

Ouessant

Pte. de Corsen

Falling quickly

Pt. St. Mathieu

3,5 m.

Stream Rate Conversion Table

Mean Rate Figure from Chart ▼	Pencil-in height of HW Cherbourg Read from column below pencil mark										
	4.8	5.0	5.2	5.4	5.6	5.8	6.0	6.2	6.4	6.6	6.8
0.2	0.1	0.1	0.1	0.1	0.2	0.2	0.2	0.2	0.3	0.3	0.3	0.3
0.4	0.2	0.2	0.2	0.3	0.3	0.4	0.4	0.5	0.5	0.6	0.6	0.7
0.6	0.2	0.3	0.4	0.4	0.5	0.6	0.7	0.7	0.8	0.9	0.9	1.0
0.8	0.4	0.4	0.5	0.6	0.7	0.8	0.9	1.0	1.1	1.1	1.2	1.3
1.0	0.4	0.5	0.6	0.7	0.9	1.0	1.1	1.2	1.3	1.4	1.5	1.7
1.2	0.5	0.6	0.7	0.9	1.0	1.2	1.3	1.4	1.6	1.7	1.9	2.0
1.4	0.6	0.7	0.9	1.0	1.2	1.4	1.5	1.7	1.8	2.0	2.2	2.3
1.6	0.6	0.8	1.0	1.2	1.4	1.6	1.7	1.9	2.1	2.3	2.5	2.7
1.8	0.7	0.9	1.1	1.3	1.5	1.7	2.0	2.2	2.4	2.6	2.8	3.0
2.0	0.8	1.0	1.2	1.5	1.7	1.9	2.2	2.4	2.6	2.9	3.1	3.3
2.2	0.9	1.1	1.4	1.6	1.9	2.1	2.3	2.6	2.9	3.2	3.4	3.7
2.4	0.9	1.2	1.5	1.8	2.1	2.3	2.6	2.9	3.2	3.4	3.7	4.0
2.6	1.0	1.3	1.6	1.9	2.2	2.5	2.8	3.1	3.4	3.7	4.0	4.3
2.8	1.1	1.4	1.7	2.1	2.4	2.7	3.0	3.4	3.7	4.0	4.3	4.7
3.0	1.2	1.5	1.9	2.2	2.6	2.9	3.2	3.6	4.0	4.3	4.6	5.0
3.2	1.3	1.6	2.0	2.4	2.7	3.1	3.4	3.8	4.2	4.6	4.9	5.3
3.4	1.3	1.7	2.1	2.5	2.9	3.3	3.7	4.1	4.5	4.9	5.3	5.7
3.6	1.4	1.8	2.2	2.7	3.1	3.5	3.9	4.3	4.7	5.2	5.6	6.0
3.8	1.5	1.9	2.4	2.8	3.3	3.7	4.1	4.6	5.0	5.5	5.9	6.3
4.0	1.6	2.0	2.5	3.0	3.4	3.9	4.3	4.8	5.3	5.7	6.2	6.7
4.2	1.7	2.1	2.6	3.1	3.6	4.1	4.6	5.0	5.5	6.0	6.5	7.0
4.4	1.7	2.2	2.7	3.3	3.8	4.3	4.8	5.3	5.8	6.3	6.8	7.3
4.6	1.8	2.3	2.9	3.4	3.9	4.5	5.0	5.5	6.1	6.6	7.1	7.7
4.8	1.9	2.4	3.0	3.6	4.1	4.7	5.2	5.8	6.3	6.9	7.4	8.0
5.0	2.0	2.5	3.1	3.7	4.3	4.9	5.4	6.0	6.6	7.2	7.7	8.3
5.2	2.0	2.6	3.2	3.8	4.4	5.0	5.6	6.2	6.8	7.4	8.0	8.6
5.4	2.1	2.8	3.4	4.0	4.6	5.2	5.7	6.5	7.1	7.7	8.4	9.0
5.6	2.2	2.9	3.5	4.1	4.8	5.4	6.1	6.7	7.4	8.0	8.7	9.3
5.8	2.3	3.0	3.6	4.3	5.0	5.6	6.3	7.0	7.6	8.3	9.0	9.6
6.0	2.4	3.1	3.7	4.4	5.1	5.8	6.5	7.2	7.9	8.6	9.3	9.9

TIDAL HEIGHTS — PORTS & PLACES

Pencil-in height of HW Cherbourg ▶	4.8	5.0	5.2	5.4	5.6	5.8	6.0	6.2	6.4	6.6	6.8
St. Marys	3.1	3.2	3.2	3.3	3.4	3.4	3.5	3.5	3.6	3.7	3.7	3.8
Ports, Chenal du Four and Ile d'Ouessant	3.9	3.8	3.8	3.7	3.6	3.5	3.4	3.3	3.2	3.1	2.9	2.8

1 hour after HW Cherbourg

+1

Time (to be inserted)

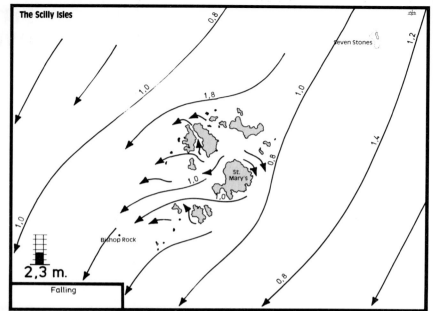

The Scilly Isles

Seven Stones

St. Mary's

Bishop Rock

2,3 m.

Falling

0
Nautical Miles
5

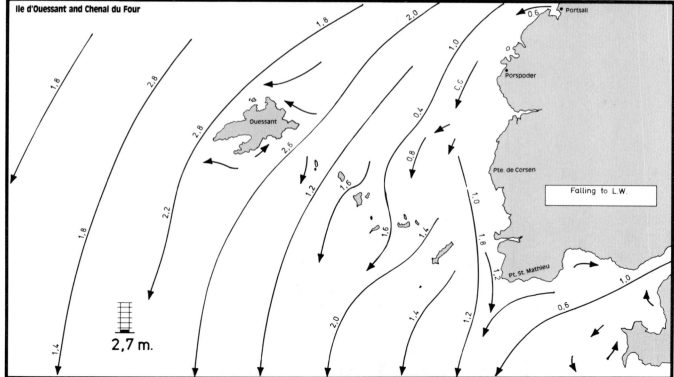

Ile d'Ouessant and Chenal du Four

Portsall

Porspoder

Ouessant

Pte. de Corsen

Falling to L.W.

Pt. St. Mathieu

2,7 m.

Stream Rate Conversion Table

Mean Rate Figure from Chart ▼	Pencil-in height of HW Cherbourg — Read from column below pencil mark											
	4.8	5.0	5.2	5.4	5.6	5.8	6.0	6.2	6.4	6.6	6.8
0.2	0.1	0.1	0.1	0.1	0.2	0.2	0.2	0.2	0.3	0.3	0.3	0.3
0.4	0.2	0.2	0.2	0.3	0.3	0.4	0.4	0.5	0.5	0.6	0.6	0.7
0.6	0.2	0.3	0.4	0.4	0.5	0.6	0.7	0.7	0.8	0.9	0.9	1.0
0.8	0.4	0.4	0.5	0.6	0.7	0.8	0.9	1.0	1.1	1.1	1.2	1.3
1.0	0.4	0.5	0.6	0.7	0.9	1.0	1.1	1.2	1.3	1.4	1.5	1.7
1.2	0.5	0.6	0.7	0.9	1.0	1.2	1.3	1.4	1.6	1.7	1.9	2.0
1.4	0.6	0.7	0.9	1.0	1.2	1.4	1.5	1.7	1.8	2.0	2.2	2.3
1.6	0.6	0.8	1.0	1.2	1.4	1.6	1.7	1.9	2.1	2.3	2.5	2.7
1.8	0.7	0.9	1.1	1.3	1.5	1.7	2.0	2.2	2.4	2.6	2.8	3.0
2.0	0.8	1.0	1.2	1.5	1.7	1.9	2.2	2.4	2.6	2.9	3.1	3.3
2.2	0.9	1.1	1.4	1.6	1.9	2.1	2.3	2.6	2.9	3.2	3.4	3.7
2.4	0.9	1.2	1.5	1.8	2.1	2.3	2.6	2.9	3.2	3.4	3.7	4.0
2.6	1.0	1.3	1.6	1.9	2.2	2.5	2.8	3.1	3.4	3.7	4.0	4.3
2.8	1.1	1.4	1.7	2.1	2.4	2.7	3.0	3.4	3.7	4.0	4.3	4.7
3.0	1.2	1.5	1.9	2.2	2.6	2.9	3.2	3.6	4.0	4.3	4.6	5.0
3.2	1.3	1.6	2.0	2.4	2.7	3.1	3.4	3.8	4.2	4.6	4.9	5.3
3.4	1.3	1.7	2.1	2.5	2.9	3.3	3.7	4.1	4.5	4.9	5.3	5.7
3.6	1.4	1.8	2.2	2.7	3.1	3.5	3.9	4.3	4.7	5.2	5.6	6.0
3.8	1.5	1.9	2.4	2.8	3.3	3.7	4.1	4.6	5.0	5.5	5.9	6.3
4.0	1.6	2.0	2.5	3.0	3.4	3.9	4.3	4.8	5.3	5.7	6.2	6.7
4.2	1.7	2.1	2.6	3.1	3.6	4.1	4.6	5.0	5.5	6.0	6.5	7.0
4.4	1.7	2.2	2.7	3.3	3.8	4.3	4.8	5.3	5.8	6.3	6.8	7.3
4.6	1.8	2.3	2.9	3.4	3.9	4.5	5.0	5.5	6.1	6.6	7.1	7.7
4.8	1.9	2.4	3.0	3.6	4.1	4.7	5.2	5.8	6.3	6.9	7.4	8.0
5.0	2.0	2.5	3.1	3.7	4.3	4.9	5.4	6.0	6.6	7.2	7.7	8.3
5.2	2.0	2.6	3.2	3.8	4.4	5.0	5.6	6.2	6.8	7.4	8.0	8.6
5.4	2.1	2.8	3.4	4.0	4.6	5.2	5.7	6.5	7.1	7.7	8.4	9.0
5.6	2.2	2.9	3.5	4.1	4.8	5.4	6.1	6.7	7.4	8.0	8.7	9.3
5.8	2.3	3.0	3.6	4.3	5.0	5.6	6.3	7.0	7.6	8.3	9.0	9.6
6.0	2.4	3.1	3.7	4.4	5.1	5.8	6.5	7.2	7.9	8.6	9.3	9.9

TIDAL HEIGHTS — PORTS & PLACES

Pencil-in height of HW Cherbourg ▶	4.8	5.0	5.2	5.4	5.6	5.8	6.0	6.2	6.4	6.6	6.8
St. Marys	2.6	2.6	2.6	2.6	2.5	2.5	2.5	2.4	2.4	2.4	2.4	2.3
Ports, Chenal du Four and Ile d'Ouessant	3.5	3.3	3.1	2.9	2.8	2.6	2.4	2.3	2.1	1.9	1.7	1.5

2 hours after HW Cherbourg +2

Time (to be inserted)

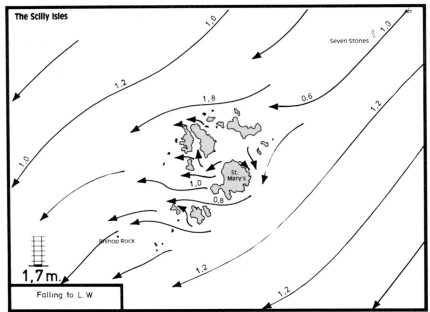

The Scilly Isles

1,7 m.

Falling to L.W.

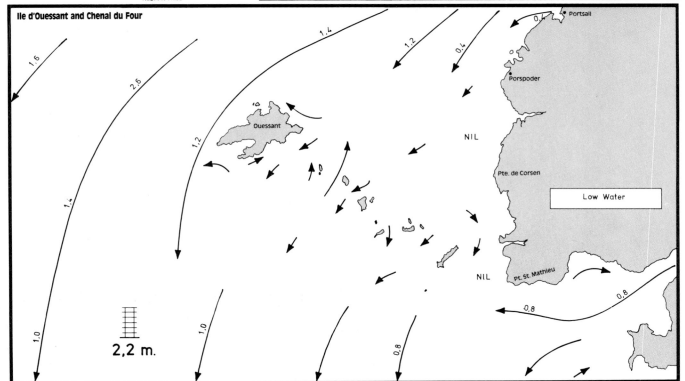

Ile d'Ouessant and Chenal du Four

2,2 m.

Low Water

Stream Rate Conversion Table

Mean Rate Figure from Chart ▼	Pencil-in height of HW Cherbourg Read from column below pencil mark											
	4.8	5.0	5.2	5.4	5.6	5.8	6.0	6.2	6.4	6.6	6.8	
0.2	0.1	0.1	0.1	0.1	0.2	0.2	0.2	0.2	0.3	0.3	0.3	0.3
0.4	0.2	0.2	0.2	0.3	0.3	0.4	0.4	0.5	0.5	0.6	0.6	0.7
0.6	0.2	0.3	0.4	0.4	0.5	0.6	0.7	0.7	0.8	0.9	0.9	1.0
0.8	0.4	0.4	0.5	0.6	0.7	0.8	0.9	1.0	1.1	1.1	1.2	1.3
1.0	0.4	0.5	0.6	0.7	0.9	1.0	1.1	1.2	1.3	1.4	1.5	1.7
1.2	0.5	0.6	0.7	0.9	1.0	1.2	1.3	1.4	1.6	1.7	1.9	2.0
1.4	0.6	0.7	0.9	1.0	1.2	1.4	1.5	1.7	1.8	2.0	2.2	2.3
1.6	0.6	0.8	1.0	1.2	1.4	1.6	1.7	1.9	2.1	2.3	2.5	2.7
1.8	0.7	0.9	1.1	1.3	1.5	1.7	2.0	2.2	2.4	2.6	2.8	3.0
2.0	0.8	1.0	1.2	1.5	1.7	1.9	2.2	2.4	2.6	2.9	3.1	3.3
2.2	0.9	1.1	1.4	1.6	1.9	2.1	2.3	2.6	2.9	3.2	3.4	3.7
2.4	0.9	1.2	1.5	1.8	2.1	2.3	2.6	2.9	3.2	3.4	3.7	4.0
2.6	1.0	1.3	1.6	1.9	2.2	2.5	2.8	3.1	3.4	3.7	4.0	4.3
2.8	1.1	1.4	1.7	2.1	2.4	2.7	3.0	3.4	3.7	4.0	4.3	4.7
3.0	1.2	1.5	1.9	2.2	2.6	2.9	3.2	3.6	4.0	4.3	4.6	5.0
3.2	1.3	1.6	2.0	2.4	2.7	3.1	3.4	3.8	4.2	4.6	4.9	5.3
3.4	1.3	1.7	2.1	2.5	2.9	3.3	3.7	4.1	4.5	4.9	5.3	5.7
3.6	1.4	1.8	2.2	2.7	3.1	3.5	3.9	4.3	4.7	5.2	5.6	6.0
3.8	1.5	1.9	2.4	2.8	3.3	3.7	4.1	4.6	5.0	5.5	5.9	6.3
4.0	1.6	2.0	2.5	3.0	3.4	3.9	4.3	4.8	5.3	5.7	6.2	6.7
4.2	1.7	2.1	2.6	3.1	3.6	4.1	4.6	5.0	5.5	6.0	6.5	7.0
4.4	1.7	2.2	2.7	3.3	3.8	4.3	4.8	5.3	5.8	6.3	6.8	7.3
4.6	1.8	2.3	2.9	3.4	3.9	4.5	5.0	5.5	6.1	6.6	7.1	7.7
4.8	1.9	2.4	3.0	3.6	4.1	4.7	5.2	5.8	6.3	6.9	7.4	8.0
5.0	2.0	2.5	3.1	3.7	4.3	4.9	5.4	6.0	6.6	7.2	7.7	8.3
5.2	2.0	2.6	3.2	3.8	4.4	5.0	5.6	6.2	6.8	7.4	8.0	8.6
5.4	2.1	2.8	3.4	4.0	4.6	5.2	5.7	6.5	7.1	7.7	8.4	9.0
5.6	2.2	2.9	3.5	4.1	4.8	5.4	6.1	6.7	7.4	8.0	8.7	9.3
5.8	2.3	3.0	3.6	4.3	5.0	5.6	6.3	7.0	7.6	8.3	9.0	9.6
6.0	2.4	3.1	3.7	4.4	5.1	5.8	6.5	7.2	7.9	8.6	9.3	9.9

TIDAL HEIGHTS — PORTS & PLACES

Pencil-in height of HW Cherbourg ▶	4.8	5.0	5.2	5.4	5.6	5.8	6.0	6.2	6.4	6.6	6.8	
St. Marys	2.4	2.3	2.1	2.0	1.9	1.7	1.6	1.4	1.3	1.2	1.1	1.0
Ports, Chenal du Four and Ile d'Ouessant	3.3	3.0	2.8	2.5	2.3	2.0	1.8	1.5	1.3	1.1	0.8	0.6

3 hours after HW Cherbourg

+3

Time (to be inserted)

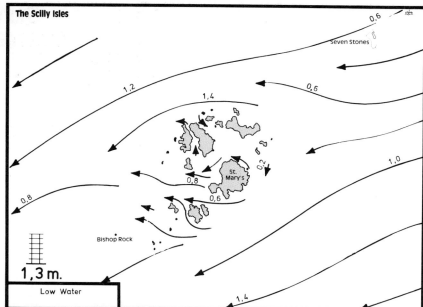

The Scilly Isles

Seven Stones

0.6

1.2

1.4

0.6

0.2

St. Mary's

0.8

0.6

1.0

0.8

1.4

1,3 m.

Low Water

0 — 5
Nautical Miles

Bishop Rock

Ile d'Ouessant and Chenal du Four

Portsall

1.2

0.6

0.4

1.6

1.8

Porspoder

0.8

Ouessant

NIL

1.0

1.6

Pte. de Corsen

1.0

1.4

Rising from L. W.

0.8

1.4

Pt. St. Mathieu

1.2

0.6

0.8

0.6

1.0

0.2

0.6

0.4

2,3 m.

0.6

Stream Rate Conversion Table

Mean Rate Figure from Chart ▼	Pencil-in height of HW Cherbourg Read from column below pencil mark										
	4.8	5.0	5.2	5.4	5.6	5.8	6.0	6.2	6.4	6.6	6.8
0.2	0.1	0.1	0.1	0.1	0.2	0.2	0.2	0.2	0.3	0.3	0.3	0.3
0.4	0.2	0.2	0.2	0.3	0.3	0.4	0.4	0.5	0.5	0.6	0.6	0.7
0.6	0.2	0.3	0.4	0.4	0.5	0.6	0.7	0.7	0.8	0.9	0.9	1.0
0.8	0.4	0.4	0.5	0.6	0.7	0.8	0.9	1.0	1.1	1.1	1.2	1.3
1.0	0.4	0.5	0.6	0.7	0.9	1.0	1.1	1.2	1.3	1.4	1.5	1.7
1.2	0.5	0.6	0.7	0.9	1.0	1.2	1.3	1.4	1.6	1.7	1.9	2.0
1.4	0.6	0.7	0.9	1.0	1.2	1.4	1.5	1.7	1.8	2.0	2.2	2.3
1.6	0.6	0.8	1.0	1.2	1.4	1.6	1.7	1.9	2.1	2.3	2.5	2.7
1.8	0.7	0.9	1.1	1.3	1.5	1.7	2.0	2.2	2.4	2.6	2.8	3.0
2.0	0.8	1.0	1.2	1.5	1.7	1.9	2.2	2.4	2.6	2.9	3.1	3.3
2.2	0.9	1.1	1.4	1.6	1.9	2.1	2.3	2.6	2.9	3.2	3.4	3.7
2.4	0.9	1.2	1.5	1.8	2.1	2.3	2.6	2.9	3.2	3.4	3.7	4.0
2.6	1.0	1.3	1.6	1.9	2.2	2.5	2.8	3.1	3.4	3.7	4.0	4.3
2.8	1.1	1.4	1.7	2.1	2.4	2.7	3.0	3.4	3.7	4.0	4.3	4.7
3.0	1.2	1.5	1.9	2.2	2.6	2.9	3.2	3.6	4.0	4.3	4.6	5.0
3.2	1.3	1.6	2.0	2.4	2.7	3.1	3.4	3.8	4.2	4.6	4.9	5.3
3.4	1.3	1.7	2.1	2.5	2.9	3.3	3.7	4.1	4.5	4.9	5.3	5.7
3.6	1.4	1.8	2.2	2.7	3.1	3.5	3.9	4.3	4.7	5.2	5.6	6.0
3.8	1.5	1.9	2.4	2.8	3.3	3.7	4.1	4.6	5.0	5.5	5.9	6.3
4.0	1.6	2.0	2.5	3.0	3.4	3.9	4.3	4.8	5.3	5.7	6.2	6.7
4.2	1.7	2.1	2.6	3.1	3.6	4.1	4.6	5.0	5.5	6.0	6.5	7.0
4.4	1.7	2.2	2.7	3.3	3.8	4.3	4.8	5.3	5.8	6.3	6.8	7.3
4.6	1.8	2.3	2.9	3.4	3.9	4.5	5.0	5.5	6.1	6.6	7.1	7.7
4.8	1.9	2.4	3.0	3.6	4.1	4.7	5.2	5.8	6.3	6.9	7.4	8.0
5.0	2.0	2.5	3.1	3.7	4.3	4.9	5.4	6.0	6.6	7.2	7.7	8.3
5.2	2.0	2.6	3.2	3.8	4.4	5.0	5.6	6.2	6.8	7.4	8.0	8.6
5.4	2.1	2.8	3.4	4.0	4.6	5.2	5.7	6.5	7.1	7.7	8.4	9.0
5.6	2.2	2.9	3.5	4.1	4.8	5.4	6.1	6.7	7.4	8.0	8.7	9.3
5.8	2.3	3.0	3.6	4.3	5.0	5.6	6.3	7.0	7.6	8.3	9.0	9.6
6.0	2.4	3.1	3.7	4.4	5.1	5.8	6.5	7.2	7.9	8.6	9.3	9.9

TIDAL HEIGHTS — PORTS & PLACES

Pencil-in height of HW Cherbourg ▶	4.8	5.0	5.2	5.4	5.6	5.8	6.0	6.2	6.4	6.6	6.8
St. Marys	2.3	2.1	1.9	1.7	1.5	1.3	1.1	0.9	0.7	0.6	0.4	0.3
Ports, Chenal du Four and Ile d'Ouessant	3.1	2.9	2.7	2.5	2.3	2.0	1.8	1.6	1.4	1.2	0.9	0.7

4 hours after HW Cherbourg

+4

Time
(to be inserted)

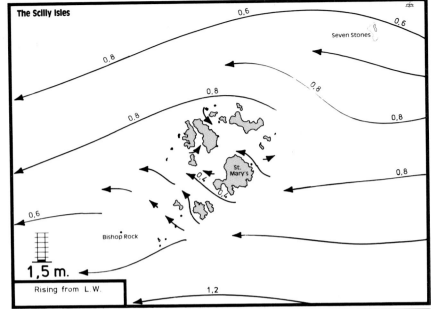

The Scilly Isles

Seven Stones

0.6   0.6

0.8

0.8   0.8

0.8

St. Mary's

0.8

0.6

Bishop Rock

1,5 m.

Rising from L.W.

1,2

0   5
Nautical Miles

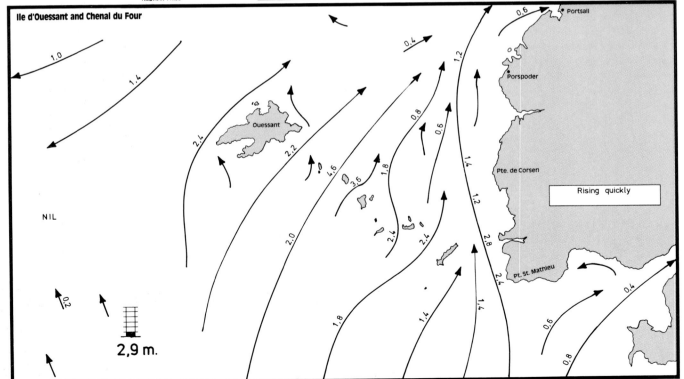

Ile d'Ouessant and Chenal du Four

Portsall

0.6

1.0

0.4

1.4

1.2

Porspoder

2.4

Ouessant

2.2

1.6   1.8   0.8   0.6

3.6

1.4

Pte. de Corsen

1.2

NIL

Rising quickly

2.0

2.4   2.4

1.8   1.4   1.4   2.8

2.4   Pt. St. Mathieu

1.8   1.4   0.6   0.4

0.8

0.2

2,9 m.

Stream Rate Conversion Table

Mean Rate Figure from Chart ▼	Pencil-in height of HW Cherbourg Read from column below pencil mark											
	4.8	5.0	5.2	5.4	5.6	5.8	6.0	6.2	6.4	6.6	6.8	
0.2	0.1	0.1	0.1	0.1	0.2	0.2	0.2	0.2	0.3	0.3	0.3	0.3
0.4	0.2	0.2	0.2	0.3	0.3	0.4	0.4	0.5	0.5	0.6	0.6	0.7
0.6	0.2	0.3	0.4	0.4	0.5	0.6	0.7	0.7	0.8	0.9	0.9	1.0
0.8	0.4	0.4	0.5	0.6	0.7	0.8	0.9	1.0	1.1	1.1	1.2	1.3
1.0	0.4	0.5	0.6	0.7	0.9	1.0	1.1	1.2	1.3	1.4	1.5	1.7
1.2	0.5	0.6	0.7	0.9	1.0	1.2	1.3	1.4	1.6	1.7	1.9	2.0
1.4	0.6	0.7	0.9	1.0	1.2	1.4	1.5	1.7	1.8	2.0	2.2	2.3
1.6	0.6	0.8	1.0	1.2	1.4	1.6	1.7	1.9	2.1	2.3	2.5	2.7
1.8	0.7	0.9	1.1	1.3	1.5	1.7	2.0	2.2	2.4	2.6	2.8	3.0
2.0	0.8	1.0	1.2	1.5	1.7	1.9	2.2	2.4	2.6	2.9	3.1	3.3
2.2	0.9	1.1	1.4	1.6	1.9	2.1	2.3	2.6	2.9	3.2	3.4	3.7
2.4	0.9	1.2	1.5	1.8	2.1	2.3	2.6	2.9	3.2	3.4	3.7	4.0
2.6	1.0	1.3	1.6	1.9	2.2	2.5	2.8	3.1	3.4	3.7	4.0	4.3
2.8	1.1	1.4	1.7	2.1	2.4	2.7	3.0	3.4	3.7	4.0	4.3	4.7
3.0	1.2	1.5	1.9	2.2	2.6	2.9	3.2	3.6	4.0	4.3	4.6	5.0
3.2	1.3	1.6	2.0	2.4	2.7	3.1	3.4	3.8	4.2	4.6	4.9	5.3
3.4	1.3	1.7	2.1	2.5	2.9	3.3	3.7	4.1	4.5	4.9	5.3	5.7
3.6	1.4	1.8	2.2	2.7	3.1	3.5	3.9	4.3	4.7	5.2	5.6	6.0
3.8	1.5	1.9	2.4	2.8	3.3	3.7	4.1	4.6	5.0	5.5	5.9	6.3
4.0	1.6	2.0	2.5	3.0	3.4	3.9	4.3	4.8	5.3	5.7	6.2	6.7
4.2	1.7	2.1	2.6	3.1	3.6	4.1	4.6	5.0	5.5	6.0	6.5	7.0
4.4	1.7	2.2	2.7	3.3	3.8	4.3	4.8	5.3	5.8	6.3	6.8	7.3
4.6	1.8	2.3	2.9	3.4	3.9	4.5	5.0	5.5	6.1	6.6	7.1	7.7
4.8	1.9	2.4	3.0	3.6	4.1	4.7	5.2	5.8	6.3	6.9	7.4	8.0
5.0	2.0	2.5	3.1	3.7	4.3	4.9	5.4	6.0	6.6	7.2	7.7	8.3
5.2	2.0	2.6	3.2	3.8	4.4	5.0	5.6	6.2	6.8	7.4	8.0	8.6
5.4	2.1	2.8	3.4	4.0	4.6	5.2	5.7	6.5	7.1	7.7	8.4	9.0
5.6	2.2	2.9	3.5	4.1	4.8	5.4	6.1	6.7	7.4	8.0	8.7	9.3
5.8	2.3	3.0	3.6	4.3	5.0	5.6	6.3	7.0	7.6	8.3	9.0	9.6
6.0	2.4	3.1	3.7	4.4	5.1	5.8	6.5	7.2	7.9	8.6	9.3	9.9

TIDAL HEIGHTS — PORTS & PLACES

Pencil-in height of HW Cherbourg ▶	4.8	5.0	5.2	5.4	5.6	5.8	6.0	6.2	6.4	6.6	6.8
St. Marys	2.3	2.1	2.0	1.9	1.7	1.6	1.4	1.3	1.1	1.0	0.8	0.7
Ports, Chenal du Four and Ile d'Ouessant	3.4	3.3	3.1	3.0	2.9	2.7	2.6	2.4	2.3	2.1	2.0	1.8

5 hours after HW Cherbourg

+5

Time

(to be inserted)

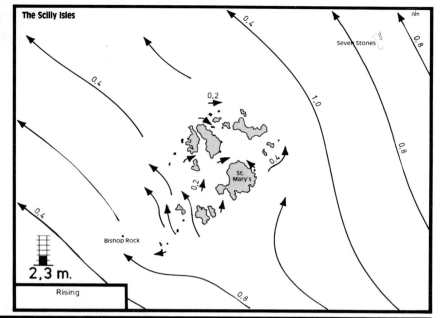

The Scilly Isles

Seven Stones

0.4

0.8

0.4

1.0

0.2

0.8

0.2

St. Mary's

0.4

0.2

0.4

Bishop Rock

0.8

2,3 m.

Rising

0 — 5
Nautical Miles

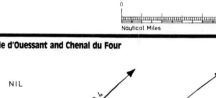

Ile d'Ouessant and Chenal du Four

NIL

Portsall

0.8

0.4

1.2

2.0

Porspoder

4.0

1.2

Ouessant

4.4

0.8

1.0

4.8

0.6

1.6

Pte. de Corsen

4.0

Rising quickly

2.8

2.2

1.2

3.4

2.6

2.0

Pt. St. Mathieu

0.8

1.8

2.0

0.8

1.2

0.6

3,9 m.

Stream Rate Conversion Table

Mean Rate Figure from Chart ▼	Pencil-in height of HW Cherbourg Read from column below pencil mark											
	4.8	5.0	5.2	5.4	5.6	5.8	6.0	6.2	6.4	6.6	6.8
0.2	0.1	0.1	0.1	0.1	0.2	0.2	0.2	0.2	0.3	0.3	0.3	0.3
0.4	0.2	0.2	0.2	0.3	0.3	0.4	0.4	0.5	0.5	0.6	0.6	0.7
0.6	0.2	0.3	0.4	0.4	0.5	0.6	0.7	0.7	0.8	0.9	0.9	1.0
0.8	0.4	0.4	0.5	0.6	0.7	0.8	0.9	1.0	1.1	1.1	1.2	1.3
1.0	0.4	0.5	0.6	0.7	0.9	1.0	1.1	1.2	1.3	1.4	1.5	1.7
1.2	0.5	0.6	0.7	0.9	1.0	1.2	1.3	1.4	1.6	1.7	1.9	2.0
1.4	0.6	0.7	0.9	1.0	1.2	1.4	1.5	1.7	1.8	2.0	2.2	2.3
1.6	0.6	0.8	1.0	1.2	1.4	1.6	1.7	1.9	2.1	2.3	2.5	2.7
1.8	0.7	0.9	1.1	1.3	1.5	1.7	2.0	2.2	2.4	2.6	2.8	3.0
2.0	0.8	1.0	1.2	1.5	1.7	1.9	2.2	2.4	2.6	2.9	3.1	3.3
2.2	0.9	1.1	1.4	1.6	1.9	2.1	2.3	2.6	2.9	3.2	3.4	3.7
2.4	0.9	1.2	1.5	1.8	2.1	2.3	2.6	2.9	3.2	3.4	3.7	4.0
2.6	1.0	1.3	1.6	1.9	2.2	2.5	2.8	3.1	3.4	3.7	4.0	4.3
2.8	1.1	1.4	1.7	2.1	2.4	2.7	3.0	3.4	3.7	4.0	4.3	4.7
3.0	1.2	1.5	1.9	2.2	2.6	2.9	3.2	3.6	4.0	4.3	4.6	5.0
3.2	1.3	1.6	2.0	2.4	2.7	3.1	3.4	3.8	4.2	4.6	4.9	5.3
3.4	1.3	1.7	2.1	2.5	2.9	3.3	3.7	4.1	4.5	4.9	5.3	5.7
3.6	1.4	1.8	2.2	2.7	3.1	3.5	3.9	4.3	4.7	5.2	5.6	6.0
3.8	1.5	1.9	2.4	2.8	3.3	3.7	4.1	4.6	5.0	5.5	5.9	6.3
4.0	1.6	2.0	2.5	3.0	3.4	3.9	4.3	4.8	5.3	5.7	6.2	6.7
4.2	1.7	2.1	2.6	3.1	3.6	4.1	4.6	5.0	5.5	6.0	6.5	7.0
4.4	1.7	2.2	2.7	3.3	3.8	4.3	4.8	5.3	5.8	6.3	6.8	7.3
4.6	1.8	2.3	2.9	3.4	3.9	4.5	5.0	5.5	6.1	6.6	7.1	7.7
4.8	1.9	2.4	3.0	3.6	4.1	4.7	5.2	5.8	6.3	6.9	7.4	8.0
5.0	2.0	2.5	3.1	3.7	4.3	4.9	5.4	6.0	6.6	7.2	7.7	8.3
5.2	2.0	2.6	3.2	3.8	4.4	5.0	5.6	6.2	6.8	7.4	8.0	8.6
5.4	2.1	2.8	3.4	4.0	4.6	5.2	5.7	6.5	7.1	7.7	8.4	9.0
5.6	2.2	2.9	3.5	4.1	4.8	5.4	6.1	6.7	7.4	8.0	8.7	9.3
5.8	2.3	3.0	3.6	4.3	5.0	5.6	6.3	7.0	7.6	8.3	9.0	9.6
6.0	2.4	3.1	3.7	4.4	5.1	5.8	6.5	7.2	7.9	8.6	9.3	9.9

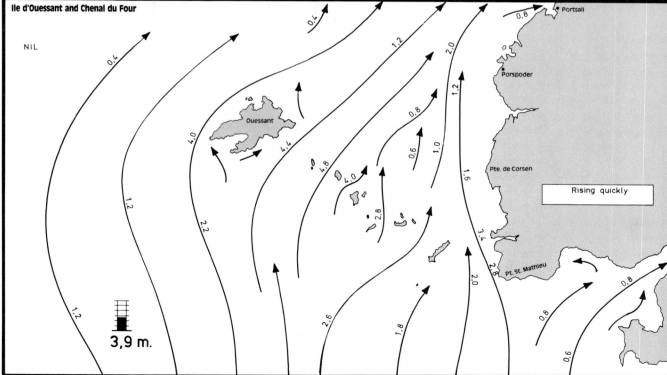

TIDAL HEIGHTS — PORTS & PLACES

Pencil-in height of HW Cherbourg ▶	4.8	5.0	5.2	5.4	5.6	5.8	6.0	6.2	6.4	6.6	6.8
St. Marys	2.7	2.6	2.6	2.5	2.5	2.4	2.4	2.3	2.3	2.3	2.2	2.2
Ports, Chenal du Four and Ile d'Ouessant	3.8	3.8	3.8	3.8	3.8	3.8	3.8	3.8	3.8	3.7	3.7	3.6

Time (to be inserted)

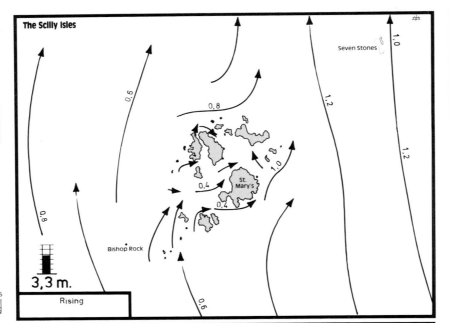

The Scilly Isles

Seven Stones

St. Mary's

Bishop Rock

3,3 m.

Rising

0 ———— 5
Nautical Miles

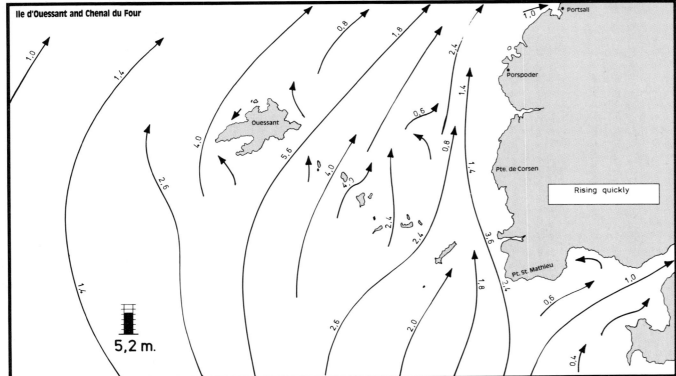

Ile d'Ouessant and Chenal du Four

Portsall

Porspoder

Ouessant

Pte. de Corsen

Rising quickly

Pt. St. Mathieu

5,2 m.

Stream Rate Conversion Table

Mean Rate Figure from Chart ▼	Pencil-in height of HW Cherbourg — Read from column below pencil mark											
	4.8	5.0	5.2	5.4	5.6	5.8	6.0	6.2	6.4	6.6	6.8	
0.2	0.1	0.1	0.1	0.1	0.2	0.2	0.2	0.2	0.3	0.3	0.3	0.3
0.4	0.2	0.2	0.2	0.3	0.3	0.4	0.4	0.5	0.5	0.6	0.6	0.7
0.6	0.2	0.3	0.4	0.4	0.5	0.6	0.7	0.7	0.8	0.9	0.9	1.0
0.8	0.4	0.4	0.5	0.6	0.7	0.8	0.9	1.0	1.1	1.1	1.2	1.3
1.0	0.4	0.5	0.6	0.7	0.9	1.0	1.1	1.2	1.3	1.4	1.5	1.7
1.2	0.5	0.6	0.7	0.9	1.0	1.2	1.3	1.4	1.6	1.7	1.9	2.0
1.4	0.6	0.7	0.9	1.0	1.2	1.4	1.5	1.7	1.8	2.0	2.2	2.3
1.6	0.6	0.8	1.0	1.2	1.4	1.6	1.7	1.9	2.1	2.3	2.5	2.7
1.8	0.7	0.9	1.1	1.3	1.5	1.7	2.0	2.2	2.4	2.6	2.8	3.0
2.0	0.8	1.0	1.2	1.5	1.7	1.9	2.2	2.4	2.6	2.9	3.1	3.3
2.2	0.9	1.1	1.4	1.6	1.9	2.1	2.3	2.6	2.9	3.2	3.4	3.7
2.4	0.9	1.2	1.5	1.8	2.1	2.3	2.6	2.9	3.2	3.4	3.7	4.0
2.6	1.0	1.3	1.6	1.9	2.2	2.5	2.8	3.1	3.4	3.7	4.0	4.3
2.8	1.1	1.4	1.7	2.1	2.4	2.7	3.0	3.4	3.7	4.0	4.3	4.7
3.0	1.2	1.5	1.9	2.2	2.6	2.9	3.2	3.6	4.0	4.3	4.6	5.0
3.2	1.3	1.6	2.0	2.4	2.7	3.1	3.4	3.8	4.2	4.6	4.9	5.3
3.4	1.3	1.7	2.1	2.5	2.9	3.3	3.7	4.1	4.5	4.9	5.3	5.7
3.6	1.4	1.8	2.2	2.7	3.1	3.5	3.9	4.3	4.7	5.2	5.6	6.0
3.8	1.5	1.9	2.4	2.8	3.3	3.7	4.1	4.6	5.0	5.5	5.9	6.3
4.0	1.6	2.0	2.5	3.0	3.4	3.9	4.3	4.8	5.3	5.7	6.2	6.7
4.2	1.7	2.1	2.6	3.1	3.6	4.1	4.6	5.0	5.5	6.0	6.5	7.0
4.4	1.7	2.2	2.7	3.3	3.8	4.3	4.8	5.3	5.8	6.3	6.8	7.3
4.6	1.8	2.3	2.9	3.4	3.9	4.5	5.0	5.5	6.1	6.6	7.1	7.7
4.8	1.9	2.4	3.0	3.6	4.1	4.7	5.2	5.8	6.3	6.9	7.4	8.0
5.0	2.0	2.5	3.1	3.7	4.3	4.9	5.4	6.0	6.6	7.2	7.7	8.3
5.2	2.0	2.6	3.2	3.8	4.4	5.0	5.6	6.2	6.8	7.4	8.0	8.6
5.4	2.1	2.8	3.4	4.0	4.6	5.2	5.7	6.5	7.1	7.7	8.4	9.0
5.6	2.2	2.9	3.5	4.1	4.8	5.4	6.1	6.7	7.4	8.0	8.7	9.3
5.8	2.3	3.0	3.6	4.3	5.0	5.6	6.3	7.0	7.6	8.3	9.0	9.6
6.0	2.4	3.1	3.7	4.4	5.1	5.8	6.5	7.2	7.9	8.6	9.3	9.9

TIDAL HEIGHTS — PORTS & PLACES

Pencil-in height of HW Cherbourg ▶	4.8	5.0	5.2	5.4	5.6	5.8	6.0	6.2	6.4	6.6	6.8
St. Marys	3.1	3.2	3.2	3.3	3.4	3.5	3.5	3.6	3.7	3.8	3.9	4.0
Ports, Chenal du Four and Ile d'Ouessant	4.3	4.4	4.6	4.8	4.9	5.0	5.2	5.3	5.4	5.5	5.6	5.6